TRAPPED IN A VIDEO GAME

勇敢者游戏

3 机器人大作战

〔美〕达斯廷·布雷迪◎著

〔美〕杰西·布雷迪◎绘　　石若琳◎译

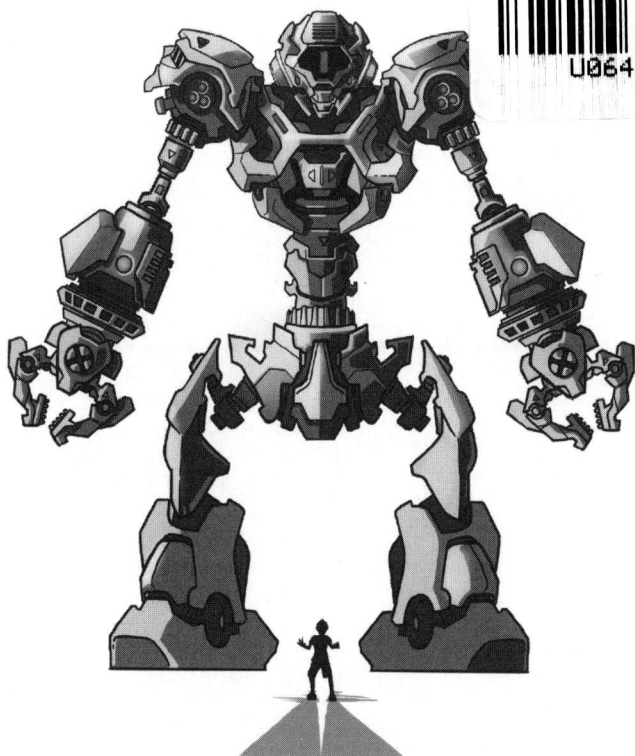

U0642852

北京科学技术出版社

100 层童书馆

TRAPPED IN A VIDEO GAME (BOOK 3): ROBOTS REVOLT by DUSTIN BRADY AND JESSE BRADY

Copyright © 2018 Dustin Brady

Cover art and design by Jesse Brady

This edition arranged with ANDREWS MCMEEL PUBLISHING

through BIG APPLE AGENCY, INC., LABUAN, MALAYSIA.

Simplified Chinese edition copyright:

2024 Beijing Science and Technology Publishing Co., Ltd.

All rights reserved.

著作权合同登记号　图字：01-2024-1557

图书在版编目（CIP）数据

勇敢者游戏 . 3, 机器人大作战 / （美）达斯廷·布雷迪著；（美）杰西·布雷迪绘；石若琳译. —北京：北京科学技术出版社，2024.5（2024.9 重印）

书名原文：Trapped in a Video Game：Robots Revolt

ISBN 978-7-5714-3655-1

Ⅰ . ①勇… Ⅱ . ①达… ②杰… ③石… Ⅲ . ①儿童故事—作品集—美国—现代 Ⅳ . ① I712.85

中国国家版本馆 CIP 数据核字 (2024) 第 028251 号

策划编辑：徐乙宁	邮政编码：100035
责任编辑：张　芳	电　话：0086-10-66135495（总编室）
责任校对：贾　荣	0086-10-66113227（发行部）
营销编辑：侯　楠	网　址：www.bkydw.cn
图文制作：天露霖文化	印　刷：三河市华骏印务包装有限公司
封面设计：包茨莹	开　本：880 mm × 1230 mm　1/32
责任印制：吕　越	字　数：86千字
出 版 人：曾庆宇	印　张：5.625
出版发行：北京科学技术出版社	版　次：2024年5月第1版
社　址：北京西直门南大街16号	印　次：2024年9月第2次印刷

ISBN 978-7-5714-3655-1

定　价：32.00元

目　录

前情提要

　　一定要读完"勇敢者游戏"系列的前两本再看这一本。真的，千万要听我的！要是你实在忍不住要先看这本，干脆先把它扔了。

　　"可是我没有前两本怎么办？"如果你有这样的疑问，那就赶紧去买吧。有问问题的工夫，你早就在网上买到"勇敢者游戏"系列的前两本了。"可是，我在潜艇里，网站不能配送，我是不是被放弃了？"你没有被放弃。你可以申请转运到有全套"勇敢者游戏"的潜艇里。万一，我是说万一，你的转移申请被驳回了，你也可以看看下面的前情提要，了解一下前面的故事。我必须重申一点，前情提要只适合提交了两次转移申请的读者阅读。如果你不符合上述情况，那就无视前情提要。

　　在"勇敢者游戏"系列的第一本中，四年级的杰西·里格斯比被困在了电子游戏世界里——这听上去肯定令人难以置信。他的冒险之旅从射击游戏《火力全开》开始。在游戏世界中，他和好朋友埃里克·康拉德并肩作战，对抗像巨型螳螂一样的外星人、狂怒的沙子怪和令人毛骨悚然的面具怪巴格其勒。在游戏中，两个人还遇到了同班同学马克·惠特曼。而在现实生活中，马克已经失踪一个月了，原来他一直都被困在游戏世界里。后来，马克掩护杰西和埃里克逃出了游戏世界，自己却没能逃出去。

在本系列的第二本中，杰西和埃里克为了救出马克，又进入了超级生物软件公司开发的手机游戏《疯狂怪兽》中。这个游戏类似于《宝可梦 GO》。杰西一路上和大脚怪、迅猛龙、邪恶的毛球军团展开搏斗，同时发现了一个惊人的秘密：超级生物软件公司为了测试新技术，把无辜的玩家困在了游戏里。杰西、埃里克和超级生物软件公司的前员工格雷戈里先生一起，成功进入了公司地下室——马克被困在地下室的黑匣子里。幸运的是，几个人在最后关头把马克救了出来。然而，他们无意中破坏了系统，游戏中的东西都来到了现实世界。被困在游戏中的其他孩子，以及怪物、外星人等都出来了。

差不多就是这些，希望你在潜艇中一切都好。下面，赶紧跟着我开始新的冒险吧。

01
大骚乱

呜呜呜呜呜呜呜呜……

声音越来越大，我的心也跟着跳得越来越快。

呜呜呜呜呜呜呜呜……

我感觉胸腔里好像有一座火山马上就要喷发了。你知道这种感觉吗？太难受了。

呜呜呜呜呜呜呜呜……

当然了，这震耳欲聋的声音并不算什么，我们眼前最大的问题是，声音的来源——成百上千个两米来高的黑匣子同时开始运转，一个又一个游戏中的东西从里面不断涌出。

呜呜呜呜呜呜呜呜……

我们眼前出现了无数比成年人还高大的外星人、恐龙、黏液怪兽，还有一个长得像喷火龙的机械怪兽。

呜呜呜呜呜呜呜呜……

它们看上去都有点儿蒙，完全不知道这是怎么一回事。同时，它们也都非常恼火：在游戏世界里待得好好的，怎么突然就到了游戏公司吵闹的地下室里？我捂住眼睛，脚下一软，靠在了旁边的黑匣子上。这时候只有一个人知道应该怎么办。"格雷戈里先生！快想想办法！"我大喊道。

非要说起来，这一切都是他引起的，谁让他发明了这种技术，让人可以进入虚拟的游戏世界呢？为了把马克救出来，他还把整个系统都搞乱了。就在这时，一个发射器飞过来砸到我的胸口上，引起了旁边一个像巨型螳螂的外星人的注意。

"接住！"格雷戈里先生依然对着电脑，头都没抬起来。

"拖住这些怪物，我想办法关上系统！"

我还没来得及告诉他我不太擅长射击，这个外星人就吱嘎嘎叫着朝我冲了过来。我把发射器绑到胳膊上，瞄准，开火！

"吱嘎嘎！"

随着一道亮光闪过，外星人消失了。我看着周围的一切，太乱了。眼前的怪物似乎都已经缓过神来，开始在现实世界中继续它们最擅长的活动——搞破坏。我的右边有一头大犀牛，它的角长长的，像一把宝剑，它用角反复刺向眼前的黑匣子。在我的左边，两个瘦瘦长长的沼泽怪扭打在一起。在我的正前方，五只大蟑螂围成了一个圈，像是想把什么困在里面。我努力分辨着，想知道到底是什么让它们这么感兴趣。

原来是我最好的朋友埃里克·康拉德被围在中间。

"埃里克！"我大声喊道。他缩成一团，两只脚一通乱踹。我赶紧站起来朝蟑螂射击。可惜我连发五炮，一只蟑螂也没有击中。不过，这倒是成功引起了它们的注意，现在五只蟑螂都转向了我。我赶紧抓住机会又发了一炮。很显然，这个做法太不明智了，因为它们一生气，居然同时朝我冲了过来。

"啊啊啊啊！"*轰！轰！轰！*

"啊啊啊！"*轰！轰！*

一只蟑螂打掉了我的发射器，它们叫着把我围了起来。我抬起胳膊喊了几声，想借此吓唬吓唬它们。但这么做非但没把它们吓跑，反而惹得它们更生气了。蟑螂步步逼近，有一只甚至用触角不停触碰我。难道一切就要结束了？我的人生结局就是在游戏公司的地下室里被蟑螂吞进肚子？这要说给我爸爸妈妈听，他们估计都不会相信。

嗖！

那只一直对我伸触角的蟑螂突然消失了。其他几只抬起头，我还没来得及搞清楚状况——*嗖！嗖！嗖！*它们就全都被消灭了。只见埃里克站在我前方，手里拿着像《复仇者联盟》里洛基拿的那种权杖。不过，埃里克的权杖看上去更有科技感，更像是洛基变成机器人后用的权杖。

"这玩意儿是从那边的电脑里冒出来的！"埃里克兴奋地叫道，"它是我的了，我要把它带回家！"

"马克在哪儿呢？"我问。

"什么？"

我凑到埃里克耳朵前，喊道："马克在哪儿呢？"黑匣子发出的声音太大了，说话不对着耳朵喊，根本听不到。

埃里克先是摇了摇头。突然，他眼睛瞪得大大的，用手指着我身后。

马克就在那里，身上是一摞又一摞《疯狂怪兽》中的毛球。他每揪下一个，身上就出现两个。埃里克把权杖对准毛球。嗖嗖嗖！几次射击之后，马克终于从毛球堆里钻了出来。我们赶紧跑向他。

"我们来啦！"我大声喊道。

马克回头看向我们，嘴里喊着什么，可周围太吵了，我们什么都听不见。他如离弦的箭一般，低着头越过一个又一个黑匣子。不到二十秒钟，埃里克就跟不上了，只剩我和那堆毛球在后面追马克。突然，马克朝后面扔了一个小金属球。我赶紧放慢脚步，想看看这是什么——

砰！

一瞬间，所有的毛球都消失了。这金属球的冲击力太大了，我直挺挺地躺倒在地。有那么一秒钟，周围似乎安静了下来。很快，那刺耳的呜呜声又响了起来。马克跑到我的身边，和我说着什么。我脑袋里嗡嗡直响，什么都听不到，直到他凑到我耳边喊："那是超级手榴弹！你没事吧？"

我冲马克点了点头，慢慢站起身来，好让他放心。但是，眼前的一切让我不禁倒吸了一口凉气。只见埃里克和一个巨大的机器人打了起来，旁边围着十来个刚从黑匣子里逃出来的小孩。埃里克用权杖朝机器人射击，但每次机器人都成功躲开了。三次交锋之后，机器人一把打掉了埃里克的权杖，把埃里克拎了起来。

"不要！"我大喊着跑了过去，想要救回埃里克，可还没捡起掉在地上的权杖，也被机器人拎到了半空中。它把我和埃里克举到眼前，打量了几秒钟。突然，机器人头盔的面罩翻了上去，里面坐着一个金色头发的女孩。原来是她在控制机器人。

　　"别攻击我了，好吗？"听口音她是英国人。我和埃里克惊得目瞪口呆，一时说不出话来。她大概发现我俩都被吓坏了，自我介绍道：

　　"我叫萨莉。"

　　"埃里克。"

　　"杰西。"

"你们能不能别攻击我了？"

埃里克冲女孩比了个 OK 的手势，她控制着机器人把我们放到了地上。我俩还没来得及消化这一切，马克就拉着我们去救援了。有一群小孩被许多星辰巫师逼到了角落里。埃里克看到后捡起权杖就往那边跑。

趁着机器人没关上面罩，我冲着萨莉喊道："嘿！能帮我们开一条路吗？"

萨莉咧嘴笑了笑，似乎对接到新任务感到十分兴奋："没问题！"

砰！

萨莉还没来得及行动，一个沙子怪就从她后面冒了出来。沙子怪十分高大，只见它气势汹汹地冲着机器人挥起了拳头，一拳就把机器人打飞了。

"嗷嗷嗷嗷嗷嗷！"

沙子怪一边叫嚷，一边捶打自己的胸口，就像金刚一样。它朝星辰巫师的方向走了过去，看样子也打算加入战斗。我这才反应过来，想去阻止沙子怪。我看到旁边的黑匣子后面还有一个《火力全开》中的发射器，于是一骨碌滚了过去，快速把它绑到右胳膊上，调至战斗模式。

"来啊，来啊，过来啊。"我嘟囔着。

砰！砰！砰！

沙子怪笨拙地迈着步子。我躲在黑匣子后向外望去，只见沙子怪抓起了一个特别小的孩子。这时候，我胳膊上的发射器亮起了白灯，也就是说现在可以开火了。我抓住机会从黑匣子后面滚了出去，朝着沙子怪的胸口就是一炮。它的胸口上立刻出现了一个大洞。

沙子怪看了看胸口，又看了看手里抓着的小孩，最后看向了我。它一边咆哮一边扭动身体，没一会儿，胸口的洞就没有了。然后，它把手里的小孩往边上一扔，朝我跑了过来。

02

机械铠甲里的女孩

咚！

好在萨莉在沙子怪抓住我之前冲了过来，控制着机器人一拳打倒了沙子怪。

她掀开头盔上的面罩冲我喊道："快离开这儿！"

我跌跌撞撞地爬了起来，沙子怪却再次冲了过来，我还没见过如此愤怒的怪物。它狂吼着开始朝机器人挥拳，劲头足以让一座大楼倒塌。好在萨莉控制的机器人也不是好惹的。机器人侧身躲开了攻击，对着沙子怪的肚子又是一拳。沙子怪被打得向后趔趄了好几步，但是与此同时，机器人的拳头也被吸到了沙子怪的肚子中。机器人想要把拳头拔出来，未料连同沙子怪一并拽了过来。沙子怪压着机器人摔到了地上，它们就这样在地上扭打起来。我赶紧跑到格雷戈里先生跟前，他满头大汗，还在不停地敲击着键盘。

"格雷戈里先生，咱们怎么帮帮她？"

"至少她还有机械铠甲的保护。"格雷戈里先生指着屏幕又说，"你看这儿！"只见成千上万的红点把一些绿点围了起来。"这些绿点都是孩子，他们没有做任何防护。你和埃里克要想办法保护他们，我负责切断电源，把逃生门打开。有什么武器就用什么武器吧，这儿就交给你们了。"

我点了点头，冲着左边偷偷溜过来的大蟑螂就是一炮。紧接着，我纵身跳到一块飘浮着的滑雪板上，随时准备朝黑匣子里冒出的怪物开火。"这个怎么样——啊！我的天！"

　　滑雪板自行启动了。我就玩过一次滑雪板，那还是两年前埃里克的表哥埃文带着我玩的。"上来！"埃文和我说，"这个特别简单。"

　　事实证明，乘着滑雪板俯冲确实不难，但是想停下来可不太容易。当时滑雪板下冲的速度太快，都快赶上汽车的速度了，我越来越害怕，直接摔倒了。最后，我是用脸刹住的。从那之后，我再也没有碰过这玩意儿。

　　我在滑雪板上晃得越来越厉害。滑过埃里克身边时，我朝着他大声求救："埃里克，快来帮帮我！"

　　"我的天哪！"埃里克惊叹道，"你是从哪儿找到这个的？"

　　"再不来帮我，我就要摔下去了！"我转着圈喊道，努力绕开黑匣子和怪物。

　　"用这个！"埃里克朝我扔过来了什么。

　　一台飞行器。真是让人无语。如果说刚才的我是一枚普通的鱼雷，那么现在的我即将变成一枚飞行鱼雷了。我背上飞行器，腾到了半空中。这个视角可以纵观全局，我这才发现游戏里的那些坏家伙三三两两地结成了帮派。我的右边是《火力全开》里的外星人，左边是

《疯狂怪兽》里的怪兽，正前方是机器人、卡丁车和幽灵——当然地下室里现在最引人注目的，还要数正挥着拳打斗的机器人和沙子怪。

"萨莉！"我大喊着朝她飞了过去。萨莉控制的机器人身上的零件丁零当啷地响着，它走起路来已经摇摇晃晃了。我飞到附近的时候，沙子怪正高举起大拳头，准备给机器人最后一击。

"看这里！"我在沙子怪的腋窝处盘旋。沙子怪咆哮着把目光转向了我。我开始绕着沙子怪转圈，它只能笨拙地跟在我后面乱挥拳头。这时候，传来一阵噼里啪啦的声音，还飘来什么东西烧着了的味道。我低头一看，原来是因为我距离沙子怪太近，飞行器喷出的火焰点燃了沙子怪。沙子怪的胸口已经被烧成了黑色，行动变得困难起来。我不禁有些得意，还没来得及吹嘘——

啪！

我径直撞进了沙子怪的手里，它抓住机会攥住我，眼看就要把我扔到嘴里去了。我奋力挣扎、尖叫。

砰！

萨莉控制的机器人朝着沙子怪的软肋——被飞行器

烧焦的胸口来了一拳，给了它致命的一击。沙子怪后退了几步，化成一团散沙，我也重重地摔到了这堆沙子上。

"谢啦！"萨莉说。

"是我该谢谢你！"我笑了笑。

就在这时，我们的左边传来阵阵尖叫声。

"让我来！"萨莉说。

与此同时，右边也传来了求救声："救命啊！"

"那边交给我！"我说。

萨莉冲我点了点头，控制着机器人抓起我，朝求救声传来的方向扔了过去。我飞越战场，终于锁定了求救声的源头，原来一个小孩被一大群机器蚂蚁团团围住了。我关上飞行器，踩着滑雪板朝他冲了过去。

"快上来！"我喊道。

这时候机器蚂蚁已经爬到他的腿上了，好在他及时抓着我跳了上来。"真谢谢你！"这个小孩一边说，一边掸去身上的机器蚂蚁。我想告诉他没什么好谢的，因为我的滑雪技术实在太糟糕了，跟我走也许还不如留在这里跟机器蚂蚁决一胜负。但是，我还是点了点头，什么都没说，把注意力全放在了维持滑雪板的平衡上。大概因为太想找到一个安全的地方了，我都没有注意到身边飞过来的子弹。

只听嗖的一声，又一颗子弹从我左边飞了过去。我抬起头，看到前面有一架机枪。我连忙往后退，但一下子失去了平衡，摔到了过道中央，那个小孩被我压在了身下，我连忙撑起胳膊。

嗒嗒嗒嗒嗒。

机枪继续朝我们开火，好在这么一摔滑雪板正好盖住了我俩，成了我们的盾牌。

*嗒嗒嗒嗒嗒。*趁着对方换弹的间隙，我往左一歪，开始用发射器反击。没打中！

*嗒嗒嗒嗒嗒。*对方一点儿放弃的意思也没有。我定了定神，又发射了一炮。还是没打中！就在这时，掩护我俩的滑雪板开始闪烁，变得时有时无。

天哪，不会吧！

根据之前使用飞行器的经验，我知道滑雪板要消失了，通常它们在消失之前都会这么闪几次。

嗒嗒嗒嗒嗒。

时间不多了，我可能只剩最后一次反败为胜的机会了。我调整好发射器，在心里默默倒数。一秒、两秒，滑雪板又开始闪，三秒！开火！炮弹出膛的一刹那，滑雪板消失了，好在这一次我命中了机枪炮塔。刚才还冲我们狂射的机枪瞬间灰飞烟灭。

"太棒了！"我救的小孩赞叹道，伸出手想和我击掌。我还没来得及回应，就又听到了求救声。

"救命啊！"

这回的声音特别熟悉。"杰西！马克！机器人女孩！谁来帮帮我啊！"

是埃里克有危险了。

我背上飞行器就朝着声音传来的方向冲了过去："埃里克，我来了！"

还没飞出去几秒，飞行器也开始闪。天哪，不要啊！不要啊！"埃里克，你在哪儿？"我高声喊道。

"在这里！"

他似乎就在附近，再坚持几秒，先别消失啊！我暗自给飞行器加油。一闪，一闪，又一闪，飞行器消失了，我摔到了地上。"埃里克！"我一边快速爬起身一边大喊，"我来……"

就在这时，有什么东西从我背后扑了过来，把我重重地扑倒在地。我气愤地翻过身来大叫道："什么啊！"一双冒着红光的机器眼睛正直勾勾地盯着我，然后，又出现了一双，接着又出现一双。我吓得瘫坐在地上。不仅如此，还有一架无人机从上空朝我步步逼近，这家伙两只手都是钳子，看上去可怕极了。

突然，地下室的灯全都灭了。

03
穿西装的人

　　周围一片漆黑，我只能看到那些黑暗中发着红光的眼睛，盘旋在我的头顶。吱嘎嘎嘎、嗷呜嗷呜、当啷当啷，许多外星人、怪物和机器人嘶吼着。你能想到比这更可怕的场面吗？

　　这时，一盏应急灯亮了一下，照亮了抓住我的胳膊和腿的机器人。那架无人机嗡嗡叫着，径直朝我的脸飞了过来。我使劲蹬脚，想甩开那些细麻秆似的机器人。应急灯又亮了一下，无人机的肚子上钻出来一把电锯。我吓得惊声尖叫。等应急灯再亮的时候，无人机和它那把电锯还差几厘米就要割到我的鼻子了。我使劲闭上眼睛，不敢想象接下来发生的事情。*刺啦刺啦！*

"这是什么声音？我的鼻子没事！"

刺啦刺啦。

我的鼻子没有被割掉，一个机器人还放开了我的左胳膊。怎么回事？我鼓起勇气睁开眼睛，借着闪烁的应急灯，看到无人机正在攻击那个抓着我右脚的机器人。原来，它不是要割掉我的鼻子，而是要攻击这些困住我的家伙。没过一会儿，我的右脚也重获自由。

到底是怎么回事？应急灯又亮了一下，无人机正在攻击第三个细杆机器人。伴随着噼噼噼、啪啪啪的声音，又有两个机器人松开了我。应急灯再亮起的时候，四个机器人落荒而逃。真是太惊险了，我在地上坐了几秒钟才平复了自己的呼吸，同时发现不知从什么时候开始，黑匣子已经不再发出刺耳的声音了。

"注意了！"黑暗中传来格雷戈里先生的声音，"我已经关闭了电源，大家赶紧从出口离开。相互帮助，都小心一点儿，抓紧时间。"

我看了看，出口的标志就在不远处。应急灯又亮了一下，照亮了我眼前的路。我深吸一口气，朝着出口走去。当应急灯再次亮起的时候，我面前出现了一个高大的机器人，这家伙四肢又细又长，肯定是刚才藏在哪个黑匣子后面。我静静地等着灯亮，眼前又多了一个同样的机器人，它和刚才的同伴一起抬着什么东西。应急灯又亮了一下——那个东西挣扎着、扭动着。

"埃里克？"我大喊道，"埃里克！"却没听到任何回应。

应急灯又亮了一下，机器人都消失了。我在黑暗中跑到了它们刚才站着的地方，想等应急灯亮了再看个究竟。可是，应急灯亮起，那里什么都没有。应急灯又亮了，我看向另一条摆满黑匣子的过道，依然什么都没有。

"埃里克！"我高声呼喊，还是没有回应。

刚刚可能是我的错觉，说不定埃里克早就逃出去了。我跌跌撞撞地往闪着红光的出口标志牌的方向冲，同时小心翼翼地观察四周，防止有什么机器人啊、蟑螂啊或者——

"吱嘎嘎!"

随着灯光亮起,一个螳螂般的外星人跳过来挡住了我的去路,它后腿着地,冲我"吱嘎嘎"叫唤。灯灭了,前方传来巨大的撞击声!等应急灯再亮起的时候,映入我眼帘的是一个巨型机器人,头盔里面还坐着一个女孩,我得救了。

"快点儿!"萨莉说,"我来掩护你。"

我赶紧跑向出口方向,和所有逃命的小孩一起,离开了这间可怕的屋子。多亏萨莉和其他几个穿着机械铠甲的孩子拖住了这些怪物,不然它们是绝对不会放过我们的。终于安全了,我穿过人群找到了马克。

"谢天谢地,咱们都没事。"我感叹着,"你看到埃里克了吗?"

"还没看见他呢。"马克看向我,"咱们这是在哪儿来着?"

"超级生物软件公司。"我回答,"就是把你们困在电子游戏里面的那家公司。"

"是那家公司把我们困在游戏里的?你是说那家公司

是故意这么做的？"

"是啊。"我说，"说起来有点儿复杂。总之，超级生物软件公司不想让任何人发现他们的秘密，我们只能偷偷溜进来，躲过那些安保人员——"

说着，我看向走廊，不自觉地拉长了声音。之前的那些安保人员都不见了，取而代之的是一些穿着西装、神情严肃的男人。他们就像电影里面的特工，还戴着那种带有螺旋导线的战术耳机，正忙着指挥逃出来的孩子们，让他们站成一队。

"您好。"我走过去拍了拍一个穿着西装的男人，"请问，您有没有看见一个叫埃里克·康拉德的男孩？他差不多这么高，总是吵吵闹闹的，穿着一件红色的 T 恤衫，还有……"

"不好意思，请你赶紧和其他人一样，站到队伍里面。"

我叹了口气，看了看身后。长长的队伍里站着许多孩子。就在这时，萨莉和格雷戈里先生也逃了出来。其中一个穿着西装的人走过去，和格雷戈里先生说了些什么，然后点了点头，刷门卡锁上了放黑匣子的房间的门。

"格雷戈里先生！"我大喊道。

他大踏步走了过来，脸上是难掩的喜悦。"真是太好了！"他说，"所有人都成功逃出来了，真是个奇迹！"

我长舒了一口气，终于可以放下心来了。"是啊，我刚才还担心埃里克没出来呢！"

听到我的话，格雷戈里先生愣了一下，他使劲搓着自己的脸说："实际上，我还真没看见埃里克。"

"但是，你刚才不是说……"

"困在电脑游戏世界里的孩子都逃出来了，但是，你们俩没在电脑游戏里，我追踪不到啊。"

听到这儿，恐惧瞬间将我吞没。"所以，埃里克有可能还被关在里面吗？"

格雷戈里先生把手搭到我的肩膀上，试图安慰我："放心吧，杰西。你看这里有那么多孩子，我想埃里克一定也在人群里。要不咱们一起……"

"打扰一下。"一个穿着西装的人出现在格雷戈里先生身后，"请问您是阿利斯泰尔·格雷戈里吗？"

"就是我。"

"请您跟我来。"

"好的，我先……"

"请您现在就过来，这关乎国家安全。"

"那你们能不能帮帮他？他找不到自己的朋友了。"

"没问题。"话音刚落，又走过来两个穿着西装的人，他们一左一右护送着格雷戈里先生走进了电梯。但是，没有人过来帮我。

看来要找到埃里克，只能靠我自己了。好吧。我从队伍里跳了出来，开始高喊："埃里克！你在哪儿啊？"

很快，马克也加入了："埃里克！"

我们在队伍里穿来穿去，不停地喊着埃里克的名字。我们把整个走廊都找了一遍，还是没有看到埃里克的影子。我正打算进电梯到上面找找，一个穿西装的人冲我伸手示意道："请回到队伍里。"

"我的朋友找不到了！"我说，"他肯定被关在里面了！我们得去救他！"

"所有人必须先站好队！快站回去！"那个人说。

"你听不明白吗？"我提高了声音，"他没在这里，我得去找他！"

"是你没搞明白。"那位穿西装的先生继续说道，"快站回去，不然我就要以叛国罪把你逮起来了。"

叛国罪？他在说什么呢！

"但是……"

那个人把对讲机放到嘴边，挑了挑眉毛，看样子我要是不听他的话，他就要给我点儿颜色看看了。马克看情况不对，赶紧拽住我的胳膊。"走吧。"他说，"说不定埃里克就在那边。"

"咱们到处都找过了，埃里克根本不在这里。"去排队的路上我小声说，"他还在里面，我出来时看见他了。"

"你看见他了？"

我点了点头："那应该是他。"我闭上眼睛，重新回忆了一遍当时的情景。因为沉浸在回忆中，我没注意前面的路，和一个小孩撞到了一起。

"真对不起。"我说着抬起头，原来是萨莉。她揉着被撞的脑袋回答道："我还好，你没事吧？"

"我的朋友还在里面。"我说。

萨莉听了，顿时睁大了眼睛："可是他们说所有人都已经出来了啊！早知道还有人，我就……"

"我必须回去救他！"我说。

"咱们怎么进去呢？"马克问，"门卡在那个人手里，他肯定不会放我们进去的。"

　　听到这儿萨莉笑了，她压低声音说："我有办法。"

随即，她从口袋里掏出了一颗超级手榴弹。

04
第一关

看到萨莉手里的手榴弹，我和马克一时间都慌了神。

"别紧张。"萨莉轻声说，然后把她的计划告诉了我们。不得不承认，萨莉的办法真是不错。

"但是，这么做的话，他们会以叛国罪把你抓起来。"我说。

"他们不能把我怎么样，我又不是这个国家的人。"

"但是你可能会被遣送回英国，关到监狱里……"

萨莉瞥了我一眼，有些嫌弃地说："我可不是英国人，你怎么连这都看不出来，我来自澳大利亚。"

"啊，哦。"我的脸慢慢红了，"你是澳大利亚人，我只是……"

萨莉摇了摇头，走到了一边。

"不是吧？"我转脸看向马克，"她不会真的要这么做吧？"

只见萨莉打开了一扇门，朝里面看了看，然后又去打开别的门。

"她应该是开始行动了。"马克说。

我突然感觉特别慌："可是我还没准备好啊！"

萨莉又打开了一扇门，朝里面巡视了一圈。

"要是开始行动，我也加入。"马克说。

"不行。"我低声冲他吼道，"你已经失踪了好几个月了，必须先回家去！"

锁定目标后，萨莉冲我们点了点头，然后从口袋里掏出手榴弹，按下按键把它扔到了房间里。萨莉像没事人一样迈着大步悠闲地走了过来，还用手指比画着倒计时的数字：三、二、一！然后，她指向了那个房间。

轰隆隆！

手榴弹不仅炸开了门，还把整座大楼震得摇摇晃晃。
发现有情况，那些穿西装的人都带好武器，跑进了发生
爆炸的房间里。这其中当然有保管门卡的西装先生。就
在他从我们身边经过的时候，萨莉迅速把手伸向了他的
裤兜，一下就拿到了门卡。

"简直是小菜一碟。"萨莉感叹。

我们抓住时机，朝刚才放黑匣子的房间跑去。一路上，我还是想劝他们两个别参与进来。我低声和萨莉说："这真的太危险了。"

"是啊！"她说着扬起了眉毛，"而且，太刺激了！"

眼看和她说不通，我又转向马克："你不能去，我不准你去。"

"你不准我去？"马克都被逗笑了。

"是的，你不能去。"

听到这儿，正在刷卡开门的萨莉也跟着笑了起来。我抢先进去，想把他俩关在门外，但还是让他俩挤了进来。大门关上的一刹那，马克和萨莉脸上的笑容瞬间凝固。尖叫声、咆哮声、嘶吼声充斥在黑暗之中，危险是如此真实。

应急灯亮了，眼前的一幕让我倒吸了一口凉气。游戏里的怪物没有了约束，已经把这里弄成了一片废墟。萨莉之前控制的那个机器人早就成了一堆零件，"躺"在我们正前方的地上。坏了的黑匣子摞成了一座小山。"山"上全是游戏里的那些怪物，它们正忙着打架，大概是想评选出一个"大王"。这群家伙激战正酣，谁也没有注意到我们三个。

萨莉从地上捡起一个发射器，然后我们在黑暗中摸着墙面慢慢地往前挪。我们还没走出几步，应急灯又亮了，一只嗡嗡叫着的怪物飞到了我们跟前，我们三个同时尖叫起来。萨莉开始朝它疯狂射击。

"等一等！"我喊道，但萨莉就像没听见一样。

"快停下，我认识它！"这是之前帮助过我的无人机。

"我也认识它。"萨莉说，"我之前玩的游戏里面就有它！"讲到这儿，她火气更大了，加大火力继续攻击。

"它并不坏，之前还帮了我。"我继续解释。

"好吧。"萨莉试图在黑暗中判断无人机的踪迹，"它就是协助别人的。"

"那你为什么还要伤害它？"

"因为它太烦人了！就这么简单！"正说着，萨莉突然看到有什么东西在动，赶紧连发两炮。

轰！轰！

"这家伙会一直跟着你，不停地嗡嗡乱叫，还爱吹烦人的口哨，搞得你什么也干不了。"

轰！轰！轰！

"过去几周我一直在游戏世界里和它纠缠，好不容易回到现实世界，竟然又遇到了这个家伙，再和它一起待着我会疯掉的！"

轰！轰！

"听我说。"我压住她的发射器，"咱们得去救埃里克，很可能需要它的帮助，你明白吗？万一它能帮咱们呢？"

萨莉没有说话，应急灯再次亮起，只见她生气地瞪着我，似乎是想要冲我开炮，却又努力克制着自己。

"你先冷静一下。"我转向无人机，"嘿！伙计！我们不会伤害你，你能出来吗？"四周没有任何动静。

"伙计，你还在吗？出来吧，小家伙！"还是没有声音。

最后，萨莉打破了沉默："它的名字叫罗杰。"

"罗杰？"

"对，它是远程引导机器人。"萨莉不情不愿地说。

"罗杰，你能帮帮我们吗？"

萨莉身后亮起一缕微光，罗杰从她的背后飞出来，用摄像头做的眼睛看着我。

"没事了，伙计，我们不会伤害你的。"

罗杰十分谨慎地哼了一声，慢慢往上飞。到了高处，它一眼瞥到萨莉手里的发射器，发出一阵尖叫声，又躲了回去。

"不要害怕。"我说着从萨莉手里拿过发射器，缓缓放到地上。

"看，我们不用这个，咱们是朋友。"

罗杰又飞了出来。

噼噼——噼噼？

"对，没事了。"我安慰它，"放心吧。"

罗杰见状彻底放下了戒备，甚至高兴地落到了马克的肩膀上。马克忍不住笑了，萨莉白了他一眼。

"听我说，我们的朋友埃里克不见了，你在这儿有没有看到过他？他差不多这么高，穿着一件红色的 T 恤衫，跑起来还摇摇晃晃的。"

罗杰毫无反应，一动不动地看着我。

"它能听懂我们的话吗？"我问萨莉。

萨莉耸了耸肩："反正它听不懂'躲远点儿'是什么意思。"

我朝四周张望，希望能有什么东西帮助我和罗杰沟通。突然，我倒抽了一口气，因为我在地上看到了埃里克的权杖。"就是这个。"我捡起权杖，"你看到拿着它的那个男孩了吗？"

罗杰盯了权杖好几秒钟，然后吹了一声长长的口哨，看来是见过埃里克。

噼噼！噼噼！

罗杰飞了起来，为我们照亮了眼前的路，一路吹着欢快的口哨。我回头冲萨莉竖起大拇指，她却摇了摇头说："这主意真是糟透了。"

在罗杰的带领下，我们沿着墙往前走，避开中间混战的大军。就这样，我们走了很远，直到出口标志牌变成了一个小亮点，连"大王"争夺战的喧嚣声都听不见了。这时候，应急灯又亮了起来，我们才发现面前是一排又一排黑色的电脑，感觉就像是一块又一块冰冷的墓碑，看得人脊背发凉。

"我必须重申一下，这主意真是糟透了。"萨莉说。

"是啊，"马克应和道，"咱们该怎么回去呢？我可不想……"

马克没有继续往下说，因为罗杰突然停了下来。我们围到一起，朝罗杰照亮的方向看去，满心希望能看到埃里克。

"这是什么？"我问。

"好像是个洞。"马克说。

"对，是个大洞，但这里怎么会有个洞呢？"

萨莉没有停下来的意思，直接爬进了洞里。她转过头来喊道："这是第一关。你们来吗？"

05

《超级机器大世界》

"什么第一关啊？"我冲萨莉嚷道。

"你来了就知道了。"

马克已经爬进了洞口，我没得选，只能加入他们。

这其实是一条有些坡度的隧道。在罗杰的指引下，我们在里面穿行，一步一步，越走越深。

"跟紧点儿。"萨莉说。

这时，周围开始轰隆作响，我们赶紧加快脚步。轰隆声越来越大，突然，轰——

隧道开始坍塌！

我们后面的路被堵住了！

"这是怎么回事？"我惊声尖叫。

"你们在这儿待着别动。"萨莉说。我和马克按她说的躲到了一边。

隧道坍塌扬起阵阵尘土，三个小机器人裹挟着飞扬的尘土，朝这边冲了过来，金属爪子还在咔咔作响。萨莉也不示弱，直接迎了上去。

"不要啊，萨莉！"我大喊着阻止她。

眼看一个机器人就要抓住她了，萨莉纵身一跳，跳到了那家伙的脑袋上。

砰！

那个机器人消失了。萨莉借着刚才的力，又跳到第二个机器人头上——砰！最后一个，砰！萨莉三下五除二就消灭了敌军，胜利归来，罗杰激动得吹起欢快的口哨。

"你快歇歇吧。"萨莉对罗杰嚷道，继续朝隧道深处走去。

我和马克惊得目瞪口呆，一时间都说不出话来。

"你不打算告诉我们这是怎么回事吗？"我终于平复好心情，问道。

"《超级机器大世界》。"萨莉回答。

我看了看马克，他朝我耸了耸肩表示不懂。

"啊，那是什么？"

"机器人、隧道、塌方，还有这个乱叫的家伙。"萨莉说着指了指罗杰，"这些都是《超级机器大世界》里面的角色。你们玩过这个游戏吧？"

"我还真没玩过《超级机器世界》。"马克回答。

"是《超级机器大世界》！"萨莉瞥了他一眼。

"等等，你说的'机器'，是指'机器人'吗？"我问。

萨莉用奇怪的眼神看着我俩，好像在辨别我们是不是在和她开玩笑。"当然是机器人了。"她过了好一会儿，才回答我的问题。

"《超级机器大世界》是世界上最受欢迎的游戏。"萨莉说"大"的时候特意拉长声音，好让我们记住。

"我反正没听说过。"马克说。

"好吧，至少这是澳大利亚最受欢迎的游戏。从上周开始我就被困在这个游戏里。"

萨莉说着说着停了下来，她面前的地上放着一个金属盒子，上面有一个发着红光的按键。萨莉按了一下，金属盒子绕着她的手旋转，变成了一副铁拳套。

"你的意思是，这些机器人离开游戏世界进入现实世界，又开始在现实世界里设立关卡，是吗？"我问。

"我觉得是，这和游戏里第一关的场景一模一样。"

"但是，为什么呢？"

周围又开始轰隆作响，萨莉伸手示意我们停下来。没一秒钟的工夫，一个用齿轮做眼睛的疯狂机器人从前面的地底下冒出了头。萨莉像打地鼠一样，对着它的脑袋就是一拳。

"机器人就是这样。"萨莉边说边往前走，似乎刚才的打斗对她来说太小儿科了，根本不值一提。"程序设定的是什么，机器人就做什么。这群机器人的设定就是设立复杂的关卡，然后绑架公主。它们不管到什么地方，都还是忙活这些事。"

"咱们时间不多了。"我说，"你说的……"

我还没说完，萨莉就冲了过来，对着我左边墙壁上冒出头来的机器人就是一拳。

"你说的'绑架公主'是什么意思？"

"这个游戏的情节确实有点儿无聊。机器人会绑架机器人公主，因为她的心是金子之类的东西做的，反正很珍贵。就和《超级马力欧》差不多。"萨莉说着朝我们看了看，"你们玩过《超级马力欧》吧？"

我仔细打量着手里的权杖，这确实挺像王室用的东西，"难道机器人看见拿着权杖的埃里克，把他当成了公主……"

"差不多，它们肯定以为他是公主。"萨莉说。

我的心紧紧地抽了一下，赶紧把权杖扔到了地上。"它们会把埃里克带去哪儿？会对他做些什么？会不会为了得到金子，挖出他的心来？"

"别紧张。"萨莉回答，"别忘了，它们要一边跑一边打造关卡。我想用不了多久，咱们就能追上它们。"

"就我们现在的速度，谁也追不上！"我说着跑了起来，"快点儿啊！"

我跑出去好几米，才发现他们都没跟上来。我转过头去喊他们，看见萨莉指挥罗杰用灯照着隧道的墙壁，好像在找什么。

"你们干什么呢？"我朝后面喊道。

萨莉拍了一下罗杰，让它靠近一点儿。借着灯光，萨莉扫了扫墙上的尘土，然后用自己的铁拳头一拳打穿了墙壁。

"跟过来！"萨莉冲我喊道。

我赶紧跑到她和马克身边："怎么回事啊？"

萨莉钻入墙上那个黑暗的洞里。突然间，洞里大亮，出现在我们眼前的是一辆矿车和向远方延伸的轨道。

"这是条捷径。"萨莉说。

06
矿车飞驰

话音刚落，萨莉就爬进了矿车。"等一下啊！"我说，"这辆小车坐不了咱们三个吧。"

萨莉坐下之后，把她那巨大的铁拳头伸了出去，在后面留出了一些空间，马克也挤进去，坐到了她后面。"你看，空间足够大。"萨莉说。马克也使劲缩着身子，好不容易空出了只容得下一个小宝宝坐的位置。

"我只是想说，要是咱们有谁被甩出去了，或者说车翻了，是不能按开始键重新玩一遍的。"我说，"这是在现实世界里，出了事咱们就死了。所以，走大路去救埃里克是不是更稳妥一些？"

"你说得我都要睡着了。"萨莉不耐烦地说，"你到底上不上来啊？"

"但是……"

"你在这儿啰唆的时间越长，机器人设立的关卡就越复杂。还不快上来！"

我叹了口气，挤到了马克身后。这里根本坐不下一个我这么大的孩子，我只能把脚放在马克的屁股底下，坐到矿车后面的挡板上。我调整好坐姿之后，罗杰落到了我的脑袋上。

"接下来绝对刺激！"萨莉说着松开了手刹，"开始坐过山车喽！"

这可不是坐过山车。坐过山车翻越山坡的时候绝对不用拼命抓着车身，也不用如此担惊受怕，更不会像现在一样随时可能掉入一个无底洞。

"慢一点儿！"我喊道，刚刚差点儿被甩出去。

"慢不了。"萨莉回答。

"为什么？"

"因为这个——"萨莉说着用手指向前方，那里的轨道消失了一段。

坐过山车绝对不会遇到这种情况——过山车不会有任何消失的轨道。

"啊啊啊啊啊！"我尖叫着，眼看矿车就要冲进前面深深的矿井里了。在最后关头，萨莉突然砸了一下矿车前面的一个按键，一艘小火箭腾空而起，载着我们和矿车飞过了巨大的矿井，不偏不倚地落在了下一段轨道上。

"哇！"马克惊呼，"这也太酷炫了！"

可是，这次萨莉没有跟着激动。她转过头来，表情严肃。从认识她以来，我还是第一次见她这副模样。"助推火箭一般能带着矿车飞很远。"她说，"可能咱们人太多，超重了。"

"会出事吗？"我问。

萨莉没有回答，而是转过身去开启火箭系统，使矿车避开了另一口矿井。这次矿车腾空而起之后，我们没有看到轨道的影子，却看到一个直升机模样的机器人挡在前面。

"所有人往后仰！"萨莉指挥着大家。我们使劲向后仰，矿车几乎完全竖了起来，正好撞到在半空中盘旋着的机器人。与此同时，矿车借着这股力，勉强落到了下一段轨道上。

这段轨道就像一个大坡。矿车爬啊、爬啊，终于爬到了最高处，然后加速冲了下去。这段轨道到坡底就没有了，矿车借着俯冲的力量，再次腾空而起。萨莉对着矿车前面的按键一通狂按，但是哪怕有俯冲的力量，哪怕有火箭助推，我们还是不太可能落到下一段轨道上。

"咱们怎么办啊？"马克尖叫道。

噼噼！噼噼！

罗杰也叫了起来，从我脑袋上飞了起来，似乎想上演一出"英雄救美"的戏码。难道它以为没了自己这点儿重量，矿车就能飞得远一点儿？但是，罗杰显然有别的想法，只见它向空中飞了十几厘米后就发出尖厉的嘎嘎声，像是汽车警报一样，好像在提醒我抓住它。

我赶紧抓住罗杰，它顶部的四个小螺旋桨开始发力，竟然真的把我拉起来了一些。我迅速用双腿夹住马克，生怕自己掉下去。马克死死抓住矿车，好维持身体平衡。

哐当!

真是太险了!好在我们又落到了轨道上。接下来的一路上,我们乘着矿车弹跳、飞越,还击落了几个机器人。可是,不知道为什么,我突然感觉矿车里的气氛不对。

"怎么了,萨莉?"

萨莉扭过头来,脸色苍白:"咱们最后肯定过不去。"

"不会的,"我说,"罗杰能帮咱们。再说了,就算腾起得不够高,也应该没什么事……"

"不是!"萨莉打断我,"最后我们需要穿过一扇正在落下的大门。我们必须要够快才能穿过去!现在矿车里面人太多,速度根本提不起来。"

矿车继续在轨道上加速前进,我们都陷入了沉默。

"都怪我。"萨莉说,"我不该要拉你们两个下水。"

我们又越过一口矿井,随即发现我们正从山上飞驰而下。山脚下是一个坡道。过了坡道,就能看到一扇金属大门正在缓缓落下。

"如果是两个人的话,能穿过那扇门吗?"马克问。

"嗯?什么意思?"萨莉反问道。

"要是矿车里只有两个人,是不是就能穿过去了?"

矿车向下飞驰，我感觉自己根本睁不开眼睛。"现在说这些有什么用。"萨莉说，"又不能……"

马克没有继续听萨莉说什么，他猛地转身，双手撑在我的肩膀上，就从矿车里跳了出去。

07
挖掘家

"马克！不要！"

马克重重地摔在了轨道上，翻滚了好几圈。我想伸手把他拽上来，但是已经来不及了——前面已经没有轨道了，矿车载着我们冲到了半空中。

罗杰紧紧跟在矿车后面，使劲推矿车，想要使矿车加速。前面的金属大门眼看就要落下去了。虽然马克选择牺牲自己，但是我们成功的希望仍十分渺茫。我向后面望去，马克滚出去很远，终于在矿井边停了下来。

"快趴下！"

我回过头来，萨莉一把将我按到矿车的车斗里，我们勉强从门下钻了过去。矿车落地的一瞬间，我们两个都被甩了出去。我们来不及想别的，赶紧爬起来跑到大门前，想要把门抬起来，看看马克怎么样了。但是，不管我们怎么用力，门就是纹丝不动。我们又开始使劲敲打，但是这扇金属门太厚了，拳头打上去也没有任何反应。罗杰也加入我们，想用肚子上的电锯把门锯开。可是，它锯了半天，连个火星都没有。

时间一分一秒地流逝，我越来越沮丧，越来越焦虑。在救马克的过程中，我至少失败了二十次，好不容易把他从游戏里带回现实，他又落到了这里。都怪萨莉，非要坐这辆破矿车。想到这儿，我打算走到一边冷静冷静。

"别走！咱们得去救马特！"萨莉说。

我转过身来冲她吼道："是马克！他的名字叫马克！你害了他，怎么能连他叫什么都不知道?！"

我头也不回地走开了。

　　过了一会儿，萨莉追了过来。"我也不想这样。我也很担心马克。"她轻声说。

　　"是啊。"我失神地说，"希望咱们能活着出去，然后把他平安救出去。"

　　萨莉耷拉着脑袋，我们就这样走了一会儿，谁也没有说话。每当遇到机器人，萨莉就挥动铁拳把它们揍一顿。可是，这样的挥拳再也没有什么快乐可言。走了好久，我们终于又看到一个带红色按键的金属盒子。"马上就能见到这一关的大魔头了。"萨莉说，"你需要这个。"

　　我按下按键，脑袋上出现了一个金属头盔。"这是干什么用的？"

　　"它可以保护你。"

　　我们沿着狭窄的隧道继续前行，没多久就走到了一个巨大的洞穴前，洞顶悬挂着许多钟乳石，极为壮观。"这些也都是机器人做出来的吗？"我问。

　　萨莉耸了耸肩："这里有各种机器人。"

　　突然，一个巨大的金属立方体从黑暗中飞到了我们上方。它嗡嗡嗡地疯狂旋转，像变形金刚一样变成了一个五米高的机器人。它的右胳膊上有一个长管状的奇怪装置，看上去可怕极了。

"这是什么啊？"我尖叫道。

萨莉还没来得及回答，机器人就已经把右胳膊上的装置放到了地上。那个装置发射出了巨大的冲击波，在山洞里扩散开来，我们顿时失去了平衡，洞口也在冲击之下坍塌了。机器人咆哮着，一步一步朝我们走来。这时候，我的头盔的面罩开始闪烁，上面出现了几行小字。

型号：挖掘家

能量值：88

速度：39

智力：11

弱点：头部

"型号是什么意思？挖掘家？挖掘机我倒是知道……"

"这些都不重要。"萨莉一边说一边打量洞顶。

我也跟着抬起头，罗杰正嗡嗡嗡地在钟乳石间穿梭。终于，它找到了一根自己心仪的钟乳石，开灯照亮了它。

"跟过来！"萨莉说完，我就和她一起站到了这根钟乳石下面。我们静静地等着，机器人迈着笨重的步子向我们走了过来。眼看就要到我们跟前了，萨莉还是不肯躲开。

"萨莉？快走啊！"我焦急地说。机器人已经很近了，每迈一步都挟着一股风，吹得人心慌。

"还不是时候。"

机器人离得越来越近，近到我抬起头就能看到它的鼻孔。

"萨莉！"

"再等等。"

机器人在距离我们一步远的时候，直接跳了过来。

"现在！"萨莉高喊一声往旁边跑去。不用她说，我早就想逃了。机器人落到我们刚才站的位置时，我都已经跑出去很远了。机器人站稳后，又把冲击波发射装置放到地上。这回的冲击波比刚才的还猛烈，被震下来的碎石落下来，打到了我的头盔上。萨莉用铁拳罩着脑袋，防止自己受伤。

咣当！

罗杰照亮的那根钟乳石也松动了，直接掉到了机器人的头上。它被砸得踉跄了几步，开始愤怒地咆哮。罗杰又照亮了洞穴另一边的一根钟乳石。

"咱们得快点儿。"萨莉说。

我跟着她跑到了那根钟乳石下面，和刚才一样等着机器人追过来。可是，这次机器人跳过来的时候，我却没能发挥好，一不小心扭到了脚踝。

"哎哟！"我疼得一边呻吟，一边一瘸一拐地走向萨莉。

"你没事吧？"萨莉问。

我还没来得及回答，机器人又开始发射冲击波，我们都被震倒在地。洞顶的钟乳石倾泻而下，然后——

咣当！

又一根钟乳石击中了机器人的脑袋。

我站起身，脚踝疼得厉害。"这下糟了。"我说着单腿往后蹦了几步，跌跌撞撞，差点儿摔倒。萨莉收起铁拳，架着我一步一步走到了罗杰再次选好的一根钟乳石下面。

机器人已经缓过神来，这回它非常生气，咆哮着朝我们跑了过来。

"萨莉？"我说，"这次我可能不行了。"

"相信我。"萨莉说。

　　根据之前的经验，想跟上萨莉的指挥绝对不是一件
容易的事。我没一会儿就按捺不住，一瘸一拐地逃跑了。

　　"杰西！等等！"

　　说话的工夫，萨莉也跟着冲了过来，她猛地推了我一把，把我推到了洞穴的另一边。虽然我安全了，萨莉却错过了跑开的最佳时机。危急关头，她缩成一团从机器人双腿间滚了过去。她不像我，没有头盔的保护。我只能眼睁睁地看着洞顶的石头砸向她。在机器人脚步的震动下，那根钟乳石终于掉了下来。再次被打到脑袋的机器人终于挺不住，摇摇晃晃地倒了下去。

　　看着遍体鳞伤的萨莉，我拖着受伤的脚踝跑了过去。

　　"你怎么样？"

　　萨莉呻吟着点了点头，指着机器人胳膊上的冲击波发射装置说："我想到救马克的办法了。"

08

左拧松，右拧紧

我们开始拆机器人胳膊上的冲击波发射装置。更准确地说，是萨莉戴着自己的铁拳套努力地拧螺钉。罗杰在旁边打灯照明，而我就负责看着，时不时给点儿没什么用的建议。

"左拧松，右拧紧。"萨莉正费力地拧一颗很紧的螺钉，我在一旁建议道。

"我当然知道。"萨莉回应着,刻意在说"当然"的时候,把音拉得很长。

"这东西怎么帮助咱们救马克呢?"我问。

"用它把门炸开。"

"然后下一步怎么办呢?"

"咱们先出去再说,好吗?"

"啊!"一个不小心,萨莉手磕到了钉子上。她使劲晃了晃手,说:"罗杰,别动来动去了!好好照着这里!"

罗杰已经对自己的任务厌烦了,但还是乖乖地给萨莉打光。

"再动来动去的,我就把你扔到垃圾场去。"萨莉嘟囔着。

我竖起耳朵听了几秒,问萨莉:"你有没有听到什么声音?"

"什么声音?"

"轰隆隆的声音。"

萨莉耸了耸肩,说:"下一关在下水道里,应该就是流水的声音。"

"可这不像水声。"我说,"这听上去,怎么说呢,感觉比水声大多了。"

"你可以去看看。"萨莉头也没抬地对我说，"通往下一关的隧道就在那边。"

萨莉的手指向洞穴的另一端，那里有一个洞口刚好够一个人钻进去。我单腿蹦了过去，眯起眼睛往里看。轰隆隆的声音更大了，一股柴油的味道随即飘过来。我爬进洞，等眼睛终于适应了黑暗后，我转过了拐角竟然瞥见了声音的源头。我被吓得跟跄后退。

是它们！我赶紧退回去，免得被它们发现。

那些又高又瘦的机器人，就是之前见过的那些！它们在隧道里走着，还扛着个不停扭动的东西，那一定就是埃里克。在他们前面的是一支机械部队，有坦克、钻机，以及面部狰狞的机器人士兵。我赶紧爬回上一关的洞穴里。

"萨莉！"我大声喊着。

罗杰抬起头看向了我。

"我怎么和你说来着？好好照着！"萨莉厉声斥责道。罗杰赶紧调整角度，把灯对准螺钉。

"我找到埃里克了！"

听到这儿，罗杰也跟着激动地尖叫，朝我飞了过来。

"知道了。"萨莉看也没看地敷衍着，"我这儿也快忙活完了。"

"你还弄这个干什么？难道没听到我在说什么吗？我找到埃里克了！"

"先别打扰我。"萨莉说着，继续在那里拧螺钉。

听到这儿，罗杰僵在了半空中，似乎不知道自己该干什么了。

"什么叫先别打扰你？"

萨莉终于把头扭了过来，她的脸上除了淤青和伤口，还多了机油和泥土。"如果咱们离开这里，这些东西都会消失。"

萨莉拍了拍眼前的机器人，用沉稳的语气和我说着："要是现在不把这个拆下来，咱们可能就没机会去救马克了。"

我半信半疑地看着她："可这是现实世界啊！这不是在游戏世界里！在现实世界，这些东西是不会凭空消失的！"

"万一呢！"萨莉说。

"你说什么万一啊！埃里克就在那里面！"

"是我害马克这样的，必须得先把他救出来。相信我，你那个朋友多等一会儿也没事。"

我简直不敢相信她居然这么说。"你能不能不要再责怪自己了？先帮我把埃里克救出来吧！"

萨莉什么也没说，低下头继续拧螺钉。罗杰看了看萨莉，又看了看我，乖乖飞了回去。

"哎哟！"萨莉又撞到了手，不禁叫出声来。"罗杰，你马上就要报废了！"罗杰赶紧调整好角度，继续给萨莉照明。

好吧，反正我本来也不需要别人的帮助。我怒气冲冲地爬到了那个洞里，去追赶机械大军。可是，当我再转过拐角时，机器人大军早就没了踪影。隧道尽头它们经过的地方，出现了一个圆圆的洞。我深吸一口气，壮着胆子走了过去。萨莉说得对，这群机器人真的在城市下水道设立关卡。我用衣服捂住鼻子，探头往下看。

洞的下面是一条湍急的污水河，又脏又臭。河边的机器人大军正忙着搭建下一道关卡。好多橘红色的工程车不停修整着下水道的每个角落和每条缝隙。高高大大的盒状机器沿着河边的通道轰鸣着前行，每隔一两米就放下几个机器人。到处都是黑色的无人机，它们正忙着铺线，搭建照明系统。

说实话，这场景还挺有意思的，要不是有别的要紧事，我可以在这里坐着看一天。那些又高又瘦的机器人还扛着埃里克。没错，借着灯光，我终于看清楚了，那就是埃里克。他一刻也没有停止挣扎，虽然倒挂在机器人身上，还是一直又喊又踹。

我想马上跑过去救埃里克，至少安慰一下他，让他别害怕。可是，周围的机器人太多了，我又没有武器，被它们发现就糟了。想到这儿，我四处张望着想找东西帮忙。

咚！

头盔突然响了一声，一个闪动的红圈出现在污水河边的通道上，我注意到红圈中心有一个金属盒子。与此同时，面罩上出现了四个红字——"涉水战靴"，还有一个箭头指向那个金属盒子。好，就从这里着手。我往前爬了爬，检查着周围的情况，心想如果能拿到这个东西，说不定……

咣当！

什么东西用力砸了一下我的脑袋，砸得我眼冒金星。我还没反应过来发生了什么事，又有东西掐了一下我的腿。"啊！"我强忍着不敢大声叫出来，以免惊动了下面那群机器人。那东西又掐了我一下。"啊啊！"

太疼了！我低头一看，原来是一只机器蜘蛛，足足有我的脑袋那么大，正在我腿上爬。我想抓住它，可还没来得及伸手——

咣当！

又一只蜘蛛从上面跳了下来，落到了我的面罩上。这下什么都看不见了，我顿时慌了神。

咣当!

我胸口上又有一只。在挣扎的过程中，我不自觉地往后退了几步，受伤的那只脚正好踩到了最先出现的那只蜘蛛身上，于是我脚下一滑失去了平衡。我疯狂挥舞着胳膊，想抓住点儿什么——什么都行，只要别让我掉下去，但这都是徒劳，我还是从洞口坠了下去。

09
绝望之渊

　　我一直往下坠，越来越深，总觉得应该快到底了——身体却还是往下坠。我蜷缩成一团，想象自己是一枚炮弹，准备冲进污水河里。但是，我没落到水里，而是掉到了河边的木板上，我砸穿木板继续坠落。啪的一声，我终于停了下来。

　　大约过了几秒钟，我才回过神来，缓缓睁开眼睛。

我掉进了一个黏糊糊的洞里，一只机器蜘蛛也和我一起掉了下来，正好被我压在身体下面，帮我缓冲了一下，现在这家伙估计也没法攻击我了。这里一片漆黑，我抬头看去，大约在十米左右的地方有一丝亮光。尽管全身酸痛、四肢无力，还沾满泥土，我还是努力站起身。

必须想办法逃出去，想到这儿，我开始环顾四周，想找梯子或者绳子，但这里什么都没有。好在洞够窄，于是我决定像蜘蛛侠一样爬上去。就这样，我拖着受伤的脚踝试了好几次，每次爬上去一点儿，就又滑下来。我也不能喊人来帮我，万一惊动了下水道里那一堆机器人可怎么办。

就这样，我独自一人在洞里无比沮丧，甚至情不自禁地小声哭了起来——这事绝对不能让任何人知道。我哭得特别伤心，哭得上气不接下气，而这样的哭法反而让我更焦虑、更难受了。就在短短两个小时之内，我失去了两个好朋友，还把自己困在了下水道深处的洞里。我感到又疲惫又寒冷又孤独，回想着这一天，我突然意识到自己连早饭都没吃，肚子早就饿得咕咕叫了。

突然，一个声音把我从阴郁的情绪中拉了出来。有脚步声！紧接着，洞口的木板也被挪开了！

"萨莉！"我大声求救，"萨莉！我在这儿！"

但在上面的并不是萨莉，一张金属脸凑了过来，往下看着我。我吓了一跳，赶紧用手捂住嘴。我俩就这样一上一下，对视了几秒钟。大概是为了让这一关完美无瑕，那个机器人又把洞口的木板放了回去，同时也盖住了我最后的求生希望。

我简直不敢相信这一切，怔怔地看了一会儿木板，然后把那只机器蜘蛛摆好，当作枕头躺了下来，至少这样还舒服些。我就这么蜷成一团、哭泣着，不知过了多久，居然睡着了。

10
连发三炮

捅捅捅。

我还是双眼紧闭。

捅捅捅。

每天早晨，你妈妈是不是也会这样把你捅起来，你是不是特别讨厌她这么做？妈妈再怎么喊起床都还能接受，因为你可以用"知道了，马上"搪塞过去，然后再做几分钟的美梦。可是妈妈要是来捅你起床就不一样了，你不坐起来她是绝对不会罢休的。

"知道了，马上。"我试探着咕哝道。

捅捅捅。

"好了，知道了。"我翻了下身，准备离开舒适的床。但是，我并没离开床，反而弄了一身泥。突然之间，我才意识到自己在哪儿。"啊啊啊啊啊！"

捅捅捅。

这不是在家里，那是谁捅我呢？就在这时，一束光照到了我的脸上。我努力眯缝起眼睛，看到身边盘旋着一架无人机，正准备继续捅我。"罗杰？"

噼噼！噼噼！

罗杰见我醒了，高兴地在空气中打转。萨莉的脸也出现在了洞口。"杰西？是你吗？"

"萨莉？"

噼噼！噼噼！

"不行！"萨莉说，"这主意太蠢了！根本不可能！哇！这个不错！等一下，我们去找根绳子！"

听到这儿，罗杰也飞了上去，和萨莉离开了。大约过了十来分钟，他俩又回来了。"好了。"萨莉说，"我们有办法了，只不过你可能不太喜欢。"她向我解释了一下没有长度合适的绳子，不能把我拉上去，所以他们打算把下水道里的水灌进来，好让我浮上去。

"你是计划把臭水浇到我的头上吗？"

"你不会有事的，罗杰找了个东西，能帮你浮在水面上。"萨莉说。

听到这儿，罗杰噼噼、噼噼叫了几声，十分骄傲自己能完成这么重大的任务。然后，它扔下来一个又脏又破的沙滩球。

"真是太谢谢了。"我不冷不热地说。罗杰还用机器爪子给我比了个赞。

萨莉和罗杰又消失了。几秒钟后，只听咕噜、咕噜、咕噜——哗啦！下水道里的臭水一股脑涌进了洞里。开始的时候，我试图用手挡住脑袋，不想沾上这又脏又臭的水。但没一会儿，我就放弃了挣扎，抱着沙滩球静静地漂着，像一只落魄的老鼠。臭水让球浮到了洞口，罗杰高兴地欢呼起来。

噼噼！噼噼！

它围着我转圈，不停地吹着快乐的口哨。

"真是太谢谢了。"我对萨莉说，"这真是——幸亏你们找到了我。"

"别担心。"萨莉说着把我扶到了小路上，"我找到了这个，可以帮你擦擦。"

她举起了一块破抹布。

"我还是自然风干吧，谢谢了。"

萨莉领着我往第一关的洞穴走去。一路上，她和我说着刚才发生的事情。我离开后，她终于拆下了那个能发射冲击波的装置，但是那东西太沉了，她根本搬不动。之后，萨莉就开始找我，找了半天都没找到。她知道我肯定是出事了，所以把整个下水道检查了一遍，每一寸地面都不放过，直到罗杰发现了地上的木板，然后在下面找到了我。

"我在下面待了多久？"我问。

"得有几个小时吧。"

"几个小时？那它们现在肯定跑远了！"

"是啊。"萨莉说，"所以，咱们必须先去救马克。"

我们一路跋涉，走到了冲击波发射装置前。"好了。

你抬那边，我抬这边。"萨莉指挥着，"咱俩差不多能把这东西拉到大门那里。"

我俩找好自己的位置。"一！二！三！太沉了！"

那个装置只往前移动了一只脚的距离。接下来的半个小时里，我们又是拖、又是拽，拖着它一点儿一点儿向前移动，终于把它弄到了门口。萨莉把装置的发射口对准大门，深吸一口气，大喊："准备！"然后，她扣动了装置后面的扳机。

那个玩意儿开始嗡嗡作响。

砰！

眼前的大门瞬间被炸开。萨莉第一时间冲了出去："马克！马克！你在哪儿？"

罗杰也飞到了前面为我们引路。在罗杰的灯的照耀下，我们隔着矿井，看到对面的轨道上，有个人趴在那儿。

"马克！"

对方抬起了头。马克眯着眼睛看向我们："伙计们？你们怎么……"

"别担心！"我隔着中间的矿井冲马克大喊着，"我们这就过去找你！萨莉有办法！"

　　"这个，我其实没想到什么办法。"萨莉悄悄地对着我的耳朵说。

　　"你没有想到办法吗？"

　　"我想等咱们打开这扇门，可能就有办法了。"

　　"好吧。"我又冲着马克大喊，"我们现在还没想好怎么办，不过别着急，很快就有办法了！"

　　"咱们怎么办呢？"我问萨莉，"咱们跳不过去，也不会飞。罗杰也不能把马克带过来。"

　　萨莉似乎根本没听我在说什么，她怔怔地盯着洞顶，问道："要是炸塌了会怎么样呢？"

　　"什么啊？把哪儿炸塌了？"

　　"洞顶。如果洞顶塌下来呢？咱们可以用冲击波发射装置，就像刚才一样。"

　　我张大嘴巴看着她。

　　"你看见洞顶那道裂纹没有？"萨莉继续说，"要是沿着裂纹炸开，上面的石头正好掉到矿井里，说不定就能填住矿井，让马克过来。"

　　我愣了几秒，发现萨莉是认真的。良久，我终于组织好了语言："这办法是不错，但要是石头把咱们都压在下面可怎么办啊？"

"这个嘛……那你有更好的办法吗？"

我确实什么办法也没有。争论一番过后，我俩达成一致，就像萨莉说的"不妨一试"。我们用石头固定住了冲击波发射装置，使发射口对准了洞顶。之后，罗杰把我的头盔带到了对面，马克可以戴上它来保护自己。

"第一炮！"萨莉大喊。

轰！

地面也跟着摇晃了起来。洞顶掉下来几块石头，但这远远不够。

"第二炮！"

轰！

又掉下来一些石头。

"加大火力！"我建议。

萨莉点了点头，她调试了一下那个装置，高喊道：

"第三炮！"

巨大的冲击波把萨莉和我震倒了。许多石头从洞顶掉了下来，但还是不够大、不够多。就在我们不知道接下来该怎么办的时候，洞里响起了轰隆隆的声音。

"你听到了吗？"萨莉问。

轰隆声越来越大。洞顶的裂缝也越来越大。

"快躲起来！"

咚！咚！砰！砰！

眼看洞顶就要塌了，我们赶紧躲到了一边。大块的石头轰隆隆地掉了下来，大概过了半分钟，周围才恢复安静。我又等了几秒钟，才敢睁开眼睛。空气中都是灰尘，我赶紧又闭紧双眼。"马克！"我冲着这无尽的黑暗大喊，"你没事吧？"

"我好极了！"马克喊道，"快看啊！"

我眯着眼朝马克的方向看去，萨莉的计划居然奏效了。掉落的石块正好填满了矿井，把轨道和这边的路连了起来。最妙的是，没了洞顶，抬头就是办公室的灯光，冲击波发射装置还把这里和超级生物软件公司连了起来，并且谁也没有受伤。这简直是《超级机器大世界》里面的"超级机器奇迹"！

"咱们快离开这儿，别再有什么东西掉下来！"萨莉说。

马克欢呼着，走过了铁轨，跳到落下来的石块上。

"你们干什么呢?！"

马克突然停住了，我们随着他的目光向上看去，只见一个穿着西装的家伙，从上面的洞口里探出头来。

"都不许动！"

11

水声汩汩

又一个穿着西装的男人凑了进来。"这应该是他们中的一个。"那个男人说着。

"你能把头盔摘下来吗？咱们好好谈谈！"他又冲着马克喊道，"另外两个人呢？"

听到这里，我和萨莉赶紧又往后躲了躲，生怕被他们看到。马克没有摘头盔，他只是回应道："他们去找我

们的朋友了。"

"你们的朋友很安全。"第一个出现的男人试图稳住马克。"所有人都逃出来了。我们已经核对过了。现在，有一件非常重要的事——你和别人讲过自己在这里的经历吗？"

"机器人把我们的朋友抓走了。"马克的语气中带着怒火重复着，"我们的朋友被带走了，我们必须去救他。"

这句话引起了对方的兴趣："什么机器人啊？"

"游戏世界里的机器人。它们逃出来了，现在带着我们的朋友不知道逃到哪里去了。"

一号西装男似乎已经得到了满意的答案，走到一边向对讲机里说道："有污染，有污染。做好爆破准备。"

"爆破？"马克大喊，"我的朋友还在这儿呢！嘿！你听见了吗?！"

"明白，现在情况紧急。"二号西装男说，"我们会把你带到安全的地方，但是在那之前，还有件更重要的事情……"

他的话还没说完，马克就冲他摇了摇头，继续往前走。

"等一等！快停下来！"

见马克要走，那个男人赶紧冲对讲机说道："对方反抗！请求支援！"

"咱们快走。"马克快走到我们面前说。

萨莉和罗杰跟了上去，我拖着受伤的脚踝在后面追他们："嘿！伙计们！咱们是不是应该和他们谈谈？还记得他们之前说的叛国罪吗？"

"还记得他刚才说的爆破吗？"萨莉说着挤进了通往下水道的隧道里。

我们都跟在萨莉后面进入隧道。刚进去，我就听见后面传来了一阵脚步声。"他们追过来了。"我小声说着，赶紧加速前进。

我们就快出隧道时，两只大机器蜘蛛掉了下来。我还没注意到这些家伙，它们就被萨莉用铁拳打走了。"你俩先下去。"萨莉说着对着自己的铁拳头笑了笑，"我得给他们点儿颜色看看。"

"不行。"我说，"咱们必须在一起。"

萨莉用奇怪的眼神瞥了我一眼："为什么？"

"上次咱们分开，后果很严重。"

听到这儿，她冲我翻了个白眼。

"你知道怎么通过第二关吗？"马克问。

"这个嘛，有两条路。"萨莉回答，"有一条安全点儿，另一条快一点儿。"

"当然是选快一点儿的。"马克说。

萨莉点了点头："我也这么认为。"然后，她把目光投向了我。

他们说得倒是轻巧，上次选择快一点儿的路，害得我们都受了伤。可我想到后面还有西装男在追我们，要是被他们抓住恐怕更麻烦。于是，我深吸了一口气，说："那咱们行动吧。"

"真不错啊！"萨莉开着玩笑，用她的铁拳轻拍了我一下。但这一下已经很疼了。我们乘着升降台回到了我掉进去的那个洞处，萨莉捡了好多封洞口的木板。"滑雪板还是雪橇？"她问我。

"我哪个都不想选。"

"那你用雪橇，我用滑雪板。"萨莉说着，又捡起三根木条。"绳子在哪儿呢？找到了！"然后，她带着这一堆装备，走到我之前看到的金属盒子那里。

马克透过头盔看着金属盒子。"涉水战靴？"他说着，"咱们到底要干什么啊？"

"要把你变成一艘快艇。"萨莉说着把绳子在马克腰上缠了好几圈，然后她拿着绳子的一头，转身看着我："拿着这个，站到木板上去。"

我痛苦地看了她一眼。

"你同意选这条路线的！"萨莉说着，"罗杰！把胶带给我！"

罗杰用强力胶带把我的脚固定到了木板上，然后又帮助萨莉固定。

马克低头看了看我简陋的雪橇。"这样可以吗？"他问道，"万一……"

"他们在那儿！"

我们抬起头。隧道口出现了五个穿西装的男人。

萨莉赶紧抓起绳子的另一端，冲马克嚷道："快按按键，然后跳进去！"

马克立即按下前方金属盒子上的按键，金属盒子瞬间变成了一双带着火箭的靴子，套到了马克的脚上。马克深吸了一口气，跳到了污水河里，开始带着我们往前冲。

"我从来没滑过水橇！"趁着还没下去，我抓住机会求助，免得一会儿一嘴臭水说不出话来。

"身体向后仰！"萨莉在她的水板上指挥着我。

光是抓住绳子，在水橇上保持平衡已经够难了，我根本来不及想身体该往哪儿仰。这时候，有什么东西咬住了我的腿，看上去像机器食人鱼。

哗啦！

萨莉斜过身子来，冲着夹住我腿的机器食人鱼就是一拳，然后她扶了扶我的身子，说："我告诉你了，身体要向后仰！"

"我要身体向后仰吗？"马克问。

"不是说你！"

已经晚了，马克往后一仰，把我们都带上了天。他反应过来回到水面上时，正好砸中另一个机器食人鱼的脑袋。我就没那么幸运了，直接脸着水面，喝了一嘴臭水。说实话，后面的事我也记不清了，因为我大部分时间脑袋都在水里，和水中的鱼一样。其他时间，我能听到的只有这些：

汩汩，汩汩，汩汩。

"往左拐！我说了往左拐！你听不见吗！往左！"

汩汩，汩汩，汩汩。

"你知道这么多，为什么不上前面来呢?!"

汩汩，汩汩，汩汩。

"罗杰，别在我眼前挡着！"

终于，马克带着我俩翻越了最后一个斜坡。我滚到了另一条隧道口前。我感觉自己至少在水里听了一个小时的汩汩声。

我带着脚上的水橇一瘸一拐走了好几步，直到罗杰过来帮我割开胶带。"咱们能不能别再坐这么刺激的东西了？"我说着吐了起来。

萨莉和马克静静地站在一边，等我把胃里的东西都吐空了，才进入下一关。

"我的天哪！"马克惊叹道。我们走进了一个大房间里。房间里的墙是环形的，至少有三十米高。置身其中，感觉就像站在薯片罐里。在我们正前方，又是一个金属盒子。

"这回你试试吧，杰西！"马克说。

我笑了，冲金属盒子走了过去，迫不及待地想知道自己即将获得什么超能力。要是能来身铁甲就好了，说不定我也能有一副铁拳头。我畅想着，按下了按键。只见金属盒子变成了一个——回旋镖？

身后的门砰的一声关上了，我感觉有点儿害怕。"我不会扔回旋镖啊！"我说着，"萨莉，你会用这个吗？"

"为什么，因为我是澳大利亚人，就一定要会扔回旋镖吗？"

"我不是这个意思，我是说……"

"你以为所有澳大利亚人都是回旋镖专家吗？我们一出生就带着这玩意儿，然后直接就能用回旋镖抓袋鼠？

你是这么想的吗？"

"不是的，我只是觉得……"

"我的好搭档，你能教教我怎么驯服一匹烈马吗？"我能感觉到萨莉努力模仿着美国口音，但是她说的一点儿也不像。

"你当然会了，你是美国人啊？"萨莉终于停了一下，喘着粗气看着我。

"我只是觉得你可能玩过类似的游戏。"我解释道。

"这样啊。"萨莉才明白我的意思，"这个挺简单的，真的。这个回旋镖有火箭系统助力，你要做的就是……"

砰！

萨莉的话还没说完，一只巨大的机器蜘蛛从天而降，落在了我们眼前。

12
薯片罐和食人鱼

　　我特别害怕蜘蛛，千万别把这个秘密告诉任何人。世界上有那么多种毒蜘蛛，我根本分不清，所以每次看到蜘蛛我都害怕它有毒。当然了，我不会吓得尖叫，更不会跳到椅子上，这点儿自控力我还是有的。不过，有一点可以肯定，我看见蜘蛛的时候，任何英勇行为都是装出来的。

这次碰上了假蜘蛛我也懒得装了，直接嗷嗷尖叫起来。毕竟，机器蜘蛛足足有一头大象那么大，还怒气冲天，疯狂吼叫，背上还有个沙漏标志，它绝对是毒蜘蛛。

大蜘蛛咚的一声落到了地上，把一大块金属板震了下来，掉到了我们身后。"赶快上去！"萨莉大喊一声，我们纷纷跳到金属板上。

大蜘蛛用它那恐怖的机器眼睛上下打量着我们，然后纵身一跃，跳到了我们右边的墙上。它用腿愤怒地敲击着墙面，没几下墙面就被敲了个洞，臭水从洞口喷涌而出。很快，地上就全都是水了，我们也跟着金属板浮了起来。大蜘蛛没有停下的意思，它一直在墙上敲洞，越来越多的水喷涌而出。没过多久，那些机器食人鱼也跟着进来了。有一条还落在了我们的金属板上，还好萨莉一拳解决了这个麻烦。其他的机器食人鱼都在水里探出头，直勾勾地看着我们。

"我负责板子上的！"萨莉喊道，"马克，你穿着靴子去水面战斗，往这些家伙脑袋上跳！"

"那我做什么呢？"我问道。就在这时，罗杰紧张了起来，开始噼噼嘎嘎地乱叫。

　　萨莉抬起头，那只大蜘蛛正趴在天花板上，背上的沙漏标志变得特别亮，和刚才不一样了。"用你的回旋镖！快点儿！"

　　"什么？我要用回旋镖打那只大蜘蛛吗？"

　　"对！"一条食人鱼跳到了金属板上。咣！萨莉给了它一拳。"当然是打蜘蛛了！"咣！"不然能用那个干什么？"咣！

　　我抬头看向天花板，已经来不及了，蜘蛛已经离开了房顶。

　　"天哪！"萨莉抱怨着，"别磨蹭了！"

　　大蜘蛛继续忙着在墙上打洞，屋子里的臭水越来越多，我们上浮的速度也越来越快。差不多过了半分钟，大蜘蛛又跳到了天花板上。我赶紧抓住时机，用一只眼瞄准目标，把回旋镖扔了出去，结果连蜘蛛的腿都没碰上。

　　"杰西！"萨莉大喊。

　　"我瞄不准！"

　　墙上有了更多的洞，房间里进来了更多的水。蜘蛛又跳回天花板。我再次瞄准，心里特别没底。幸运的是，

在我出手之前，萨莉短暂离开了机器食人鱼战场，用铁拳头把我抛了起来，让我能离自己的目标更近一点儿。我趁着自己腾起的势头，扔出了回旋镖。击中目标！大蜘蛛在天花板上缓了一会儿，才又回到墙面上。

"干得漂亮！"萨莉大喊。

食人鱼越来越多，让萨莉应接不暇，甚至说话的时候都来不及看我一眼。与此同时，水已经到了墙的高度三分之二了，并且水面的上升速度越来越快。当机器蜘蛛再次回到天花板的时候，不需要萨莉把我抛起来，我就已经离它够近了。我很轻松就打中了它。

又挨了一下，大蜘蛛更生气了。它开始用脑袋凿墙，凿出来的洞一个比一个大。水混合着无数条机器食人鱼喷涌而入。"太多了！我应付不来了！"马克的声音从水面上传来。

"没事，把靴子脱下来吧！"萨莉喊道。

"你说什么呢？不行啊！"

"快脱！"

随着水势上涨，我们就要碰到天花板了，似乎接下来不是被压扁就是被水淹没。机器蜘蛛见状打算歇歇脑袋，停止了凿墙行动。马克也在这时候跑到了金属板上，脱下他的战靴。随后，大蜘蛛跳回天花板，就在我们脑袋的正上方了。

"快跳到水里！"萨莉大喊。

马克低头看了看水面上密密麻麻的机器食人鱼，又抬头看了看越来越近的天花板，十分纠结。

"我不确定……"

哗啦!

萨莉直接把马克推到了水里，然后跟着跳了下去，罗杰紧随其后。金属板上只剩下我一个人，我等着蜘蛛背上的沙漏标志再次亮起。剩下的时间不多了，眼看着我的脑袋就要撞上天花板了，我只能做好准备往水里跳。我的脚刚离开金属板，蜘蛛背上的沙漏标志就亮了起来。我在空中向它扔出回旋镖，然后哗啦一声跳到水里，自己也不知道到底有没有击中目标。在水中，我看见马克、萨莉还有罗杰都在往水底游，我也赶紧追了上去。一、二、三，我在水中没游几下，只听——

砰!

一时间水花四溅，我抬头一看，原来是机器蜘蛛爆炸了，还把房顶炸出一个大洞。突然间，我们都被水冲了上去。

13
不可能模式

我被下水道里的水冲出了房间，重重地摔在地上。我赶紧爬起来四下张望，马克和萨莉也都被冲了出来。皎洁的月光照着我们，原来我们被水冲到了一片树林里。

"大家都没事吧？"我好不容易把嘴里的臭水都吐了出来，问道。

"嗯……"萨莉回答着。

"嗯……"马克回答着。

噼噼噼噼，罗杰也回答着。

我们开始尝试拧干衣服，但是没一会儿就放弃了这个做法。整个晚上，我们都躺在地上任由臭水静静流淌。突然，马克注意到森林里有几辆推土机。

"这是在干什么啊？"

只见几辆推土机在树林中一顿忙活，开辟出一条道路。"我想，它们是要打造下一关。"萨莉叹了口气，坐了起来。

"咱们走吧？"

"等一等。"我说，"这么说来，这条路不知道要通向什么可怕的地方……"

"前面是座工厂。"萨莉打断了我的话。

"这么说来，前面是座阴森恐怖的工厂，里面都是凶神恶煞般的机器人，而那几个扛着埃里克的机器人早跑远了。"

萨莉耸了耸肩："也许吧。"

"那咱们为什么不跳过这一关，或者多跳几关直接去救埃里克呢？"

　　萨莉又耸了耸肩："可以。"

　　听到这儿我怔住了，这么长时间以来萨莉第一次对我的建议表示认可。

　　"那咱们为什么不这么做呢？"

　　"因为我不知道接下来会怎么样。"

　　"什么意思？"

　　"我！不知道！接下来！会怎么样！"萨莉又重复了一遍。

　　"你不是被困在游戏世界里一周吗？"我问。

　　"是的。"萨莉回答，"但是，我只打到了第三关。明白了吗？"

　　突然间，我感觉自己像个泄了气的皮球，那接下来萨莉的意见也没什么建设性了。我看向马克，跟他使了个眼色。

　　萨莉看到了我的表情，解释道："听我说，我很擅长玩游戏，明白吗？我就是太喜欢打游戏了，所以每一关都选择'最高难度'，这样可以把战线拉得长一些。可是《超级机器大世界》的最高难度太'高'了。"

　　"你的意思是咱们既不知道这一关有什么，还需要应对'最高难度'？"马克问。

萨莉又耸了耸肩。

我突然感到不知所措，有种强烈的负罪感。"伙计们，听我说。"我说道，"谢谢你们能帮我。现在，你们必须回去了。我必须去救埃里克了，我不能眼睁睁看着你们往火坑里跳。"

"你这意思是我们能看着你往火坑里跳？"马克问。

"是啊。"萨莉说，"咱们必须在一起，你忘了吗？"她用蹩脚的美式英语说着，大概是想逗我开心。

我还没来得及争辩，我们就走到了一座工厂前，这座工厂曾经是我们镇的造纸厂。这座破旧的造纸厂已经荒废了二十年，四处黑漆漆的，阴森恐怖。但是今晚，这里却变了样子。耀眼的灯光透过窗户照到外面，烟囱中还呼呼冒着热气。

"看来这就是咱们要找的工厂。"萨莉说。

罗杰用灯光照亮了树林中的一个洞。

"看来罗杰找到入口了。"马克说着跟随罗杰开始往洞里爬。

"但是……"

　　我话还没说出口，萨莉就转过身来，把她的铁拳头放到我脸旁边，示意我闭嘴，我只能安静地跟着马克往洞里爬。我们就这样沉默着爬了几分钟，眼前出现了一扇门。"下面要怎么办？"我一边问，一边到处看，想找个按键或者门把手。

　　咣！

　　还好门板不厚，萨莉直接用铁拳在铁门上砸了个洞，然后走了进去，我和马克紧随其后。还没走两步，我们同时停了下来，眼前的一切让我们都惊呆了。短短几个小时的时间里，这些机器人已经把报废的造纸厂变成了一流的生产车间。我们透过一长排窗户往厂房里看去，只见几十年没有动过的流水线运转起来了，生产出一个又一个零件。机械手再把这些零件组装成机器人，就和我们之前在游戏中见到的一样。车间最右边的墙上，挂满了萨莉之前用的那种机械铠甲。

　　萨莉指着那些铠甲说："那就是咱们的目标。"

　　我们偷偷爬进了窗户另一端的隧道。马上爬出隧道的时候，萨莉突然转过头来，严肃地说："在接下来的时间里，你们必须听我的。这是最重要的事。明白吗？"

　　我和马克点了点头。萨莉长长地吸了一口气，随即望向上面，好像在脑海中预演接下来的场景。然后，她一下从隧道中滚了出去，我和马克赶紧跟上。从隧道出来，我们到了一条正在运转的流水线上。这里四面都是墙，房顶特别矮。"快来！"萨莉在流水线前端喊着，我俩赶紧跑了过去。

　　砰！

　　我和马克刚离开那儿，一个金属配件就重重地砸了下来。看到这场景，我俩顿时意识到听萨莉的话是多么重要。"三！二！一！跳！"萨莉说。

　　我们跳了下去。与此同时，墙上也伸出来长长的刀，正好伸到我们刚才站着的地方。我们来不及停歇，在萨莉的指挥下准备下一步行动。"滚过去！"我们滚到了一块钢板下面。"低头！"一把长锯从墙里伸出来，穿过刚才我们脑袋所在的位置。

　　在接下来的几分钟里，我们一直玩着"我说你做"的游戏，这恐怕是全世界最危险的版本。终于，萨莉下达了最后的命令，我们从流水线上滚了下去。"太棒啦！"萨莉兴奋地说，"我从来没有一次成功过！"

"你说什么？"

萨莉没理我。"那边是我们需要的机械铠甲。"萨莉指向房间那头挂在房梁上的铠甲说。

"这是那些守卫。"她又指了指铠甲前面那一排长得像忍者一样、手里还举着长刀的机器人。

"咱们怎么过去？"马克问。

"要是你回旋镖用得够好，应该可以在它们冲过来的时候，挨个把它们打倒。"萨莉说。

我使劲地摇了摇头。

"还有个办法是沿着天花板溜过去。"

经过一番商议，大家都觉得指望着我扔回旋镖是件不太靠谱的事情，于是我们开始往墙边推箱子，好踩着箱子爬到支撑房顶的椽子上去。"楼梯"搭建得差不多了，萨莉回头冲我们做了个"嘘"的手势，然后认真地研究了路线，带着我们往铠甲处进发。

眼看还差一半的距离就到了，马克突然翻起头盔上的面罩，用唇语和我说着什么。我大概是世界上最不擅长读唇语的人了，总之我完全搞不懂他想表达什么。如果要我猜，他可能是在嘟囔"方西瓜的臭篮子"？这也太离谱了。于是，我佯装明白，冲他点了点头。通常情况下，当别人说的话我听不懂时，我都会礼貌地点点头。但是，这次点头显然不是马克想要的结果，他还是一直盯着我，好像在等我的回应。最后，我实在坚持不住，也用唇语问他："什么？"马克用手指了指耳朵，示意我仔细听。

我停下脚步，仔细聆听，好像有微弱的嘀嘀声。难道马克是在担心这个？我冲他耸了耸肩，继续往前走。下面有一堆拿着大刀的机器人，这嘀嘀声有什么好担心的？

可是这声音越来越大，大到让人听了心乱。我努力想集中注意力，可是满脑子都是嘀嘀、嘀嘀、嘀嘀的声音。我还是妥协了，开始四处看，想找到这声音的源头。似乎我们越往前走，声音越大。

嘀嘀、嘀嘀、嘀嘀。

我先把手放到橡子上，想摸摸有没有电线，然后又抬头四处找，发现橡子上真有一根电线，线的尽头连接着一个黑色的小盒子，盒子上的红灯一闪一闪的。黑盒子好像是用橡皮泥一类的东西粘在了天花板上，上面还有线，连接着另一个黑盒子。这个黑盒子上也有线，一个连一个，直到……天哪！

嘀嘀、嘀嘀、嘀嘀。

我放眼望去，屋子里有几十个闪着红灯的黑盒子，它们一直连到铠甲附近的小闹钟上。闹钟显示的是数字37，正在倒计时。这场景我在无数部电影中都看到过，不用说也知道那是个什么东西。

嘀嘀、嘀嘀、嘀嘀。

萨莉好像完全没有听到嘀嘀声，我必须问问她这是怎么回事。很快，我就成功吸引了萨莉的注意，趁着她回头看我，我用唇语说："炸弹！"

萨莉似懂非懂地点了点头，很明显，她和我刚才一样，完全没搞明白是什么意思。我又用唇语说了一遍："炸弹！"

嘀嘀、嘀嘀、嘀嘀。

萨莉疑惑地伸着脑袋，用唇语问我："砸烂？"

我紧张地看了一眼倒计时的屏幕——28、27、26。马上就来不及了。"炸弹！"我喊出了声，还把手指向了那个闹钟。

下面的机器人听到我的声音，都抬起了头。萨莉看了看炸弹，又看了看我，眼神里充满了恐惧。没错！那肯定是炸弹！"快跑！"萨莉大喊。我们跳过了椽子，朝机械铠甲冲去。拿着长刀的机器人在下面追着我们，甚至还有几个相互配合，也爬了上来。眼看一个机器人就要抓住马克了，关键时刻，我用回旋镖救了他。终于，我们逃到了机械铠甲的正上方，借助房梁荡到了铠甲里。

"按绿色按键开始，踩踏板就能移动！"萨莉说着，合上了头盔的面罩。她的铠甲亮了起来，挣脱捆绑，快

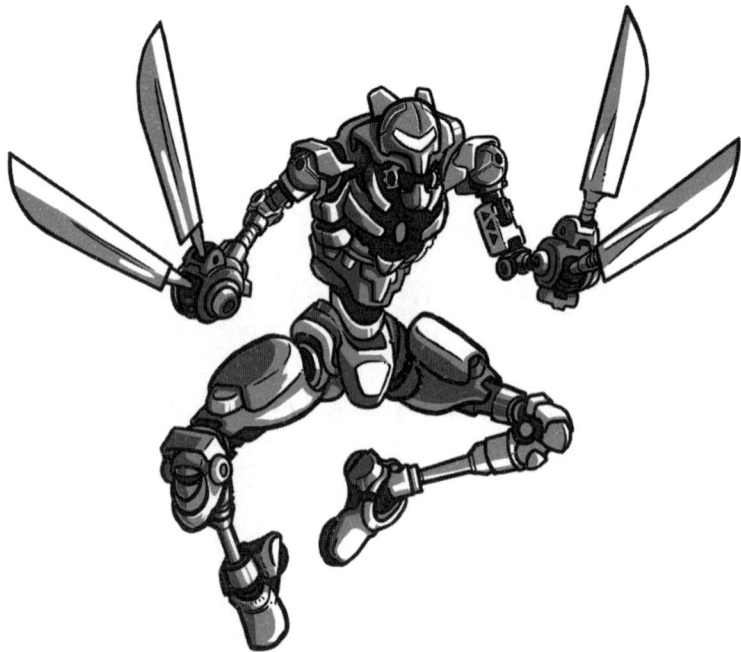

速向外跑去。马克的铠甲也跟在后面。我赶紧低头找踏
板和按键。绿色按键？哪里有什么绿色按键？我紧张地
回头看了看倒计时。

9、8、7。

好几个拿着长刀的机器人已经抓住了我的铠甲悬在
空中的脚，准备爬上来。还有一个从房梁上跳到了铠甲
的背上。

6、5。

我终于找到了绿色按键。

4、3。

面罩终于合上了，我还在绝望地寻找着踏板。那群
长刀机器人就要把我淹没了，我看不见闹钟，只能在心
里倒计时。

2。

身上的机器人太多了，也太沉了，绑着铠甲的绳子
都被它们拽断了，我们一起摔倒了。

1！

也许这不是——

轰隆！

14
炒鸡蛋

不知过了多久，我被憋醒了，感觉好像有一头大象站在我的胸口。我想试着动动胳膊，但怎么也动不了，只能眯着眼睛看向周围，原来踩在我的机械铠甲上面的不是大象，而是一个敦实的西装男。他正搜索着废墟，没有注意到被踩在下面的我——大概也是因为我的面罩被爆炸后的碎片盖住了。我赶紧闭上眼睛，免得被他发现。

"这里什么也没有。"他声音低沉，一听就十分凶悍，绝对不好惹。

另一个人也加入了对话，他带着南方口音，说："差不多了，是吧？是不是就这些机器人了？"

"希望是。"那个凶悍男说，"说实话，我没接到过这么过分的命令。"

"你觉得这是怎么回事？"

"怎么回事也不会告诉咱们。"

"他们当然不会告诉咱们。我是在问你是怎么想的？"

凶悍男沉默了几秒，声音愈发低沉："他们居然让咱们在地下室里给孩子们消除记忆！那还是群孩子啊！你知道吗？这是我第一次用活生生的人做实验！"

"我——我不知道。"

"我的手自始至终都在发抖。谢天谢地，那帮孩子都没事。但是，董事会怎么想的？宁愿像炒鸡蛋一样搅乱孩子们的大脑，也要保守这个秘密——这绝对是个惊天大秘密。"

"会是个什么秘密呢？"

"你还不明白吗？咱们做事的时候，是不能问问题的，要不然你的脑子就该变成炒鸡蛋了。这可不是开玩笑的。"

南方人听后，沉默了几秒。突然，他低声叫道："我的天哪！"

"什么啊？"

"你快看。"

我能感觉到手电光照到了自己的脸上。我屏住呼吸，一动不动假装失去意识了。

"这是那三个逃跑的孩子里面的一个，对吗？"

凶悍男叹了口气。"是啊。"他说，"真不希望是这种结果。"

"咱们要不要把他抬走，还是……"

"还是等支援吧，一会儿会有人来清理现场的。"凶悍男说，"他们能想办法让这一切看上去是场意外。这个孩子躺在这儿，另外两个肯定也在附近。咱们得仔细搜查一遍。"

这回换南方人叹气了。"有的时候，我真的感觉自己受不了这份工作了。"他说着，和自己的同伴走开了。

　　我静静地等着，直到听不见任何声音了，才慢慢睁开眼睛。西装男都走了，造纸厂的房顶也没了。透过烟雾，依稀能看到天上的月亮。我的脑袋在机械铠甲里动弹不得，眼睛却可以到处转，我能看到周围堆积如山的碎石、变形的金属，还有无数个机器人的零件。

　　我想试着从铠甲里爬出去，却发现自己完全被卡在里面，并且每次我想动一下，腿都一阵剧痛。剧烈的疼痛让我停止挣扎，大口喘着粗气。现在，我什么都不愿想，只觉得自己又饿又累，全身是伤，只想躺在这里。也许闭上眼睛休息一会儿就好了……

　　不行。

　　我猛地睁开眼睛，努力保持清醒。我现在是埃里克最后的希望。如果在西装男回来之前，我还没有离开这里，埃里克就回不来了。我连喘了几口气，然后吸住肚子，用尽全身力气想要从铠甲里出来。屁股还真是能动一点儿了。我继续用力，这一回能动的地方更多了！太好了！我屁股使劲，继续在铠甲里蠕动，已经可以前后晃动了。再到后来，每次我向后用力，整个身子都能跟着动。

接下来的几分钟都是这样，我晃啊，动啊，扭啊，直到——砰！我的左手挣脱了机械铠甲。我活动了一下手指和手腕，没有受伤！紧接着，我用左手把右手拽了出来，接着两只手一起用力，整个身子又重获自由了。

经过刚才那一顿折腾，我已经满头大汗，上气不接下气了。我又在地上躺了一会儿，远处似乎有人拿着手电筒过来了，亮光穿过烟雾，又穿过这无尽的夜色，但至少现在我还没被发现。终于，我平复了呼吸，想翻身站起来。可是，还没站稳我就又倒了下去。

之前受伤的脚踝已经完全不能动了——一定是骨折了。我又看了看刚才的光，有两束已经越来越近了。我赶紧爬到一块大石头后面，偷偷观察着情况。光束照到了左边。我突然意识到，要想不被发现，我必须离机械铠甲远一点儿才可以。想到这儿，我赶紧滚到了旁边掉下来的金属板下面。

等手电筒的光远去了，我抓住时机挣扎着爬到了一截传送带旁边。就这样，我在一片废墟中费力地爬着，树林就在前面了。

我单腿跳到了另一套机械铠甲后面，计划着怎么进树林。这时候，什么东西落到了我的肩膀上。

有人轻拍了我一下。

我吓得差点儿叫出声来。幸亏那个拍我的家伙用它的机械手，及时捂住了我的嘴。

15
机器男孩比利

　　我用余光看过去，发现是罗杰！它用另一只机械手冲我挥了挥手，又朝着树林闪了闪灯，松开了我的嘴。在罗杰的带领下，我走进了树林，终于和萨莉、马克会合了。他俩的情况也好不到哪儿去。我过去的时候，两个人正在一根原木后面缩着，旁边是马克的头盔，但是已经碎成两半了。萨莉的额头上有一道长长的口子，马克的上臂受伤了，裹着简易绷带。但是，总体来说，一切都好。

这时候，萨莉紧紧抱住了我，半天都不肯松开："你还活着！你还活着！"她不停重复着这几个字。

之后，她开始跟我讲刚才发生的一切，他们是怎么在爆炸中捡回一条命的。我赶紧打断了她。"咱们得赶快离开这里。"我把刚才两个西装男的对话和他们大致讲了一遍。

萨莉和马克听了，又吃惊又害怕。"你知道他们是谁吗？"马克问。

我耸了耸肩："他们说到了'董事会'，但我不知道是什么。不管是谁，他们一定是想守住这个秘密，偷偷地用格雷戈里先生的发明去做别的什么事情。"

"这么说来，如果让他们先找到埃里克的话……"萨莉说不下去了。

"他的脑子肯定成炒鸡蛋了，或者更糟。"

"但听上去，他们应该还不知道机器人正在设立关卡呢，是不是？"马克一脸期待地问。

"确实是。他们似乎不知道有这些机器人，更不知道它们在干什么。不过，这种状态持续不了多久，等到明天早晨就会有好多居民发现机器人，然后报警，所以咱们只剩下几个小时的时间了。"

"咱们必须跳过中间这几关，直接到最后一关。"萨莉说。

"咱们怎么做呢？现在连下一关在哪儿都不知道！"

我们几个沉默了好一会儿。"真希望我有机器男孩比利的电话号码！"萨莉说。

"谁是机器男孩比利啊？"马克问。

"他是澳大利亚的游戏玩家，特别擅长电子游戏。他还把《超级机器大世界》打通关了，并且做了好多游戏攻略视频。"萨莉说着，一脸崇拜。

十几秒的沉默后，马克突然说话了："这些游戏攻略视频在网站上有吗？"

"当然了。"萨莉说，"可问题是这里没有电脑啊？"

马克沉思了一会儿，似乎在纠结什么，欲言又止。

"怎么了，马克？"我问道。

"这个……咱们确实能在附近找到电脑。"他回答道。

"那还等什么呢？"萨莉跳了起来，"咱们走啊！"

马克一脸犹豫，看着我说："我家在附近。那电脑在我家里。"

我赶紧摇头："马克……"

"咱们可以穿过我家后院去拿备用钥匙然后偷偷溜进地下室电脑就在那里可以在那里看视频这样等我父母睡醒时咱们早就离开了他们不会发现我们的。"马克没有断句，似乎想要在自己改变主意之前一口气说完。

"棒极了！"萨莉发现我一直在摇头，"怎么了？"

"马克已经在电子游戏里困了八十年了。"我说。

"八十年？"

我和马克同时示意她小点儿声。

"这说来话长，电子游戏里的八十年，在现实中是一个多月。"我解释道，"所以现在，他的父母都觉得他……觉得他已经不在了。"

"所以，他不能在凌晨两点钟的时候，活蹦乱跳地跑回自家房子里，是这个意思吗？"萨莉说。

"没错。"我说，"要是把马克的爸爸妈妈吵醒了，咱们可能就来不及救埃里克了。"

萨莉点了点头，明白了其中的利害关系。

我们同时看向马克。他转过身去，开始往树林里面走去。

"快回来啊！"萨莉压低声音说。

马克转身说道："别浪费时间了！"他没有给我们任何争辩的机会，扭过头继续朝前走。萨莉和罗杰见状，都跟了上去。

"嘿！听我说！"我还站在原地，"有个问题，我现在没办法走路了。"

"我的天哪！"萨莉说着，又和马克一起跑了回来。一路上，他们两个一直扶着我。他说的没错，这儿距离他家确实很近。从树林走过来，我们只用了十五分钟。马克示意我们动作轻一点儿，然后带着我们溜进了他家后院。

我们偷偷摸摸地穿过他家后院，期间感应灯还亮了，可把我们吓得不轻。马克摇了摇头，示意我们别跟着，然后快速跑到花园里，拿起了一块石头。他居然把石头拧开了，里面有一把钥匙。我们就这样进到了他家的房子里，马克又锁上了门。

进来以后，我们停顿了一下，稍做休整。房间里很暗，一片寂静，只有冰箱嗡嗡地运转着。慢慢适应了这里的黑暗后，我们才发现身边就是餐桌，马克的座位还在那里。过了这么久，他的父母还给他留着一把椅子。我看了他一眼，知道他心里一定很难受。马克只是盯着地面，不敢抬头。

在那八十年里，他是多么煎熬，多么想家。现在，他终于回来了，却不能停留，不能和爸爸妈妈见一面，因为他还有事在身，马上就要离开。平复了情绪，我们跟着马克走进了他家的地下室。

这里以前一定是他玩耍的好地方，但是现在已经变了模样。乒乓球桌上铺满了追悼会上的鲜花，现在都已经枯萎了。之前放在学校里的马克肖像，现在放在放映机和幕布之间。沙发上摆满了马克的奖杯。罗杰在前面照明指路，我们边走边看着这些东西，拼凑着马克的旧日时光。马克还是努力克制着自己，不忍心多看一眼。

"你还好吧？"我轻声问。

马克坐到电脑前面，快速回答了一句："我没事。"轻描淡写之下，我能想象出他内心的波涛汹涌。当你忍住眼泪、佯装坚强、不想让人发现内心的脆弱时，也会用同样的语气。这时候，马克把电脑屏幕转过来，表情复杂地看着我们。

"怎么了？"萨莉小声问。

"我忘了密码了。"

"你连密码都记不住吗！"

"已经八十年了，让我想想。"马克思考了半天，终于开始敲键盘了。

密码错误！

他皱着眉头又试了一次。

密码错误！

"就是这个啊。"马克嘟囔着，重新输入了一遍，结果还是一样。

"也许密码改了呢。"我说着，朝四周看了看，突然想到点儿什么。于是，我凑过去敲了四个字母"Mark"（马克）。

密码错误！

"等一等。"马克说着，输入了"M@rkl"。

欢迎回来！

马克笑了："我爸爸总是喜欢把密码里的'a'改成

'@'，再在后面加上字母'1'，他曾觉得这样的密码更复杂，不容易被破译。"

"是他觉得吧。"萨莉说。

"什么？"

"他曾觉得这样的密码更复杂。"萨莉回答，"现在他肯定还是这么觉得。"

"对，大概是吧。"马克开始登陆视频网站，"你来找吧，萨莉。"

萨莉打开了一个视频，标题为"《超级机器大世界》通关秘籍——史诗终结！（17/17）"。

"游戏找我，带你通关！大家好！"扬声器里传来机器男孩比利热情饱满的声音，"今天，我们就要带着这小子，救出他的公主！首先……"

马克跳过来，按下静音键，萨莉赶紧暂停播放，我们屏住呼吸、竖起耳朵，就这么静静地等待了一分来钟，想听听楼上有没有声音。幸运的是，马克的父母睡眠质量很好。

萨莉继续播放视频。屏幕上出现了一个装备齐全的机器人，它不仅有萨莉的铁拳头，还有至少三十种先进装备，罗杰也飞到了这个机器人身后。

噼噼！噼噼！

我们吓坏了，赶紧回头示意真的罗杰不要出声。可是，罗杰似乎根本不听这一套，看见自己出现在了电脑屏幕上，无法理解，它的大脑暂时短路了。

噼噼！噼噼！

罗杰开始在空中晃来晃去，发出刺耳的声音，就像电脑发出的警报声一样。萨莉拿起一个装满马克旧东西的箱子，把罗杰倒扣在里面。罗杰这才冷静下来。

"怎么回事啊？"马克小声问萨莉。

萨莉耸耸肩、摇摇头，很生气的样子。我们又等了一会儿，确定马克的父母没有被吵醒，才继续看游戏攻略视频。

屏幕上，那个机器人在一个超级有科技感的走廊里漂浮着，躲过攻击、踢倒围墙、向敌人进攻，但是动作都不太连贯。终于，它跑到了一个金属开关前，按下开关，重力又出现了，所有的东西都落了下来。

"我觉得，这间屋子里好像没有重力。"马克说，"但是，咱们去哪里找一个失重的房间啊？"

这时，游戏主角进入了另一个房间。我们突然明白了，怪不得之前它在那里是失重状态。它新进入的房间里有一面墙都是玻璃，透过玻璃看出去，地球就在不远处。

16
莱维斯山

"这是在月球上？咱们去不了月球上啊！"萨莉先是惊呼，意识到自己声音太大了，又压低了声音，但是仍然十分激动。

"月球上什么情况咱们都不知道！我是说，月球上没有氧气啊！没有氧气咱们怎么呼吸！还有，到了那里，咱们怎么回来呢！"

"萨莉!"我打断了她歇斯底里的话,"别紧张了!要是它们已经带着埃里克去了月球,咱们也没办法。"

萨莉冷静了一会儿。这时候,马克已经在翻看前一个视频了。"这是月球之前那一关。"他说。

我们看到那个机器人在和终极怪物对决,后面是一艘即将发射的火箭。看周围的样子,这应该是在农场的田里。我不禁皱了下眉,"农场?有没有搞错?这一关选的地方有点儿没意思啊。"

"那是莱维斯山。"萨莉说。

"什么?"

"莱维斯山,开发《超级机器大世界》的程序员就是在那里长大的。他开发的游戏里总是有这个地方。"

"这是在澳大利亚,对吗?"马克问。

"当然了。"

"太棒了。"马克说着歪到椅子上,"咱们不用去月球了,但是得想办法去澳大利亚。"

"我觉得不是。"我说,"你们看,这里只有农场。机器人大军只要在附近找到类似的地方,就会开始搭建关卡。"

"我们这是在俄亥俄州啊。"马克说，"这里到处都是农场。"

我还是不愿意放弃希望，继续推理道："游戏里的每一关距离都很近。咱们可以趁着机器人打造其他关卡的工夫，画个地图，把它们的路线标出来。"

马克想了想，确实也没有别的办法，于是他又偷偷溜到了车库里。几分钟后，马克带着一张地图回来了。"我爸爸曾经喜欢在车里放一张地图。"他解释着。看了一眼萨莉，他又改口道："我是说我爸一直喜欢，一直喜欢在车里放一张地图。"

他在桌子上铺开了地图，研究了几秒钟。"超级生物软件公司在这里。"他说着在地图上画了个圈。"造纸厂在这儿。"他又在地图上画了个圈。

"咱们再找一下第四关在哪儿。"说着，他又打开了一个机器男孩比利的视频。只见机器人把一艘有火箭助力的气垫船，停在了过山车项目的第一个高坡旁边。

"毛孩公园？"我试探着说道。

马克在地图上把它圈了起来。

萨莉听了摇了摇头："猫孩？这是一家以猫为主题的

公园吗？美国怎么会有这种地方？"

"不是猫。"我说，"是毛孩公园，是我们玩的地方。"

可是，萨莉这时候已经去看下一关的视频了，根本不听我解释。也就是说，她现在肯定以为美国有很多以猫为主题的公园。

"啊，这看上去像是海盗主题公园啊。"萨莉说。

我点了点头："对，毛孩公园旁边就是伊利湖，这样就说得通了。"

已经是凌晨三点钟了。我们根据机器男孩比利的视频，在地图上把每一关可能的位置都标了出来，并且按照顺序连了起来。萨莉往后退了一步，端详着整张地图上的路线，疑惑地说："这看上去一点儿规律也没有啊。"

"这看上去挺有规律的。"我指着地图说，"这条路线呈螺旋状，像朵花一样。"

"不管什么形状，路线最后指向的地方是一个荒凉的地方。"马克说。

"看看这里的卫星地图。"我说。

马克点开了卫星地图——这里是大片的田地。

"停一下！"我发现有个地方有点儿什么东西，"把那条路放大一些。"

地图上显示出一座座建筑，同时还显示了一些商店名称。有霍姆斯种子饲料店、约德肉铺、柏林农场荷兰厨房……

"我知道这个地方！"我兴奋地说，"这是阿米什人的小镇！"

萨莉用奇怪的眼神看着我。

"阿米什人的小镇！"我重复着，"难道澳大利亚没有吗？"

"也是什么和猫有关的地方吗？"

阿米什人拒绝用电，他们点油灯、驾马车、用木头制造工具，完全是农耕社会。总之，现在机器人大军要到阿米什人的小镇造火箭了。建造这么大的东西，在几公里外应该就能看到。

"有个问题。"马克说，"看这里。"他点开了从他家到阿米什人的小镇的步行路线，需要 22 小时 15 分钟！我们盯着这几个数字沉默了良久。我又打开了刚才过山车那一关的视频，突然有了一个好主意。

"咱们一直都是按照机器人的游戏规则在闯关，对不对？"我问。

萨莉和马克耸了耸肩。

"是时候制订自己的游戏规则了。"

17
毛孩公园

我们继续跟着视频学习，同时制订计划、搜集装备，大约过了半个小时，一切准备就绪。马克关上电脑，把扣着罗杰的箱子拿了起来，说道："走吧，伙计，我们需要你。"

噼噼！ 罗杰用自己最小的音量回应着。

马克刚要站起来，萨莉又按住他的肩膀让他坐回了椅子上。"马克……"萨莉还没来得及说别的，就被马克打断了。

"听着，我知道你要劝我留下来。相信我，现在我最想做的事情就是上楼回到我的房间，躺在自己的床上，然后天亮了可以吃到妈妈做的香蕉巧克力蛋糕，但现在还不是时候。之前你没有抛下我，杰西没有抛下我，埃里克也没有抛下我，不管怎么样我们都得在一起。多一个人，就多一分把埃里克救出来的希望。哪怕机会渺茫，我也必须去。你明白吗？"

萨莉愣了一秒钟，才继续说话："我是想和你说，别忘了拿上地图。"

马克的脸瞬间涨得通红。"啊，好的。"他把地图塞到书包，带着我们走出地下室，来到了车库。那里有一辆红色的小货车，萨莉和马克从货车旁边挤过去。每个人都推出来一辆自行车。

萨莉骑马克妈妈的车，马克骑自己的车，我因为受伤了，只能坐在马克的自行车大梁上让他带着我。乘着夜色，我们开始向毛孩公园进发。或者说向公园进发，因为现在那里已经不再是孩子们的游戏天堂了。经过一晚上的搭建，机器人大军使这里面目全非。旋转木马变成了恐怖的旋转机器，绕着公园运行的小火车和轨道都没了，肯定被搬到了地下，不知道什么时候就载着机器大军杀出来。那个大摆锤，我六岁以后就觉得不够刺激了，也没再玩过，但是现在它的最高处足足有五十米高，已经远远超出了刺激的范围。

我们把自行车停到公园门口，准备开始行动。"千万别搞砸了，罗杰。"萨莉说。

噼噼！噼噼！

罗杰直接从大门飞了进去，我们三个则从大摆锤那儿绕了过来。等着罗杰分散机器人的注意力（罗杰分散它们注意力的方法，就是反复哼唱儿歌《笑翠鸟》，直到它们崩溃），我们好跳到围栏里面去。确切地说，应该是萨莉和马克跳进围栏里，我试了两次都跳不进去，最后萨莉用铁拳头把围栏扯开，我才能进去。我们一个挨一个，偷偷摸摸地溜到了过山车旁边的气垫船上，然后迅速系上安全带。马克松开手刹，很激动地活动了一下手，又回头冲我们笑了笑，轻轻地推动了油门。

嗖！

就这么轻推一下，气垫船两秒钟就完成了百公里加速。我们嗖的一下冲向了夜空。

"啊啊啊啊啊！"

我大声尖叫。一方面，在这之前我坐过最刺激的项目就是过山车。另一方面，在视频中，这时候会有一条机器巨龙迎面飞过来，抓住机器男孩比利的机器人，把它关到一个恐怖的房间里。

嗖！

机器巨龙来晚了，我们的气垫船已经腾空而起。它飞过来的时候，一边嘶吼一边晃脑袋，感觉烦透了。因为有个不停嗡嗡唱歌的无人机一直在它眼前挡着它的视线。机器巨龙刚过去，罗杰就赶紧飞到了气垫船上。

"干得不错！"马克高声称赞它。

噼噼！噼噼！噼噼！

我们终于着陆了，朝着毛孩乐园的出口冲了过去。

轰轰！

那条机器巨龙停到了后面，开始冲我们发射火炮。马克驾着气垫船一下就闪了过去，然后加大油门，飞速驶出了公园。他这驾驶技术绝对不亚于专业 F1 赛车手。马克在《火力全开》里开了几十年的坦克，一坐到驾驶的位置就如有神助。

可是，公园周围全是住宅，道路还三回九转，哪怕对反应能力超乎常人的马克来说，也是一个挑战。就算那些穿着西装的人还不了解机器人的事，现在也应该差不多都知道了。毕竟，一条机器巨龙在街道上空追赶一艘高速行驶的气垫船，可不是常见场景。

马克按照我们之前的计划向下一个目的地进发，不到一分钟我们就到了哥伦比亚沙滩公园。我们飞过游乐场，直接冲向码头。

刚开到水里，马克就长舒了一口气，回过头来说道："咱们应该是甩开那条龙了。"

轰轰！

机器巨龙的火炮照亮了水面，它俯冲下来，准备攻击。马克猛地朝右一转气垫船，顿时水花四溅。巨龙没有办法，只好退了回去。我们驶过伊利湖，它还在空中穷追不舍。

轰隆！

炮弹的轰隆声盖住了刺耳的龙吟。

轰隆！轰隆！轰隆！

水花飞溅，马克压低身体，努力保持气垫船平衡。眼看气垫船就要行驶到一艘巨大的海盗船附近了。呼！那条可恶的机器巨龙又停到了我们身后的水面上，激起的巨浪差点儿把我们三个拍到甲板上。

"在那儿！"马克大喊着，用手指向船桅。接着，他驾着气垫船穿过海盗船上的机器人，朝着一个发光的金属盒子驶去。"你来吧，杰西。"萨莉说。

我抓住时机，使劲伸胳膊按下了金属盒子上的按键。

唰！

金属盒子变成了几百万块金属块，把我的腿武装起来，形成两条机器腿。我转了转脚踝，惊呼道："已经好了！不疼了！"

"太好了！"马克说着驶离了海盗船，我们飞速冲上岸，朝着下一关——俄亥俄州唯一的游猎区进发。我们乘着气垫船冲到了机器狮子的老窝里，在那里马克又拿到了一个金属盒子。他现在和钢铁侠一样，有了能发射火炮的手套。

趁着还没惊动那些真正的狮子，马克赶紧猛推气垫船的油门。眼看就要驶出游猎区了，一只机器长颈鹿突然从后面追了上来，它的脖子和神探加杰特的一样长，直接把脑袋伸了过来。马克回过头来想用新手套射击，但是萨莉抢先一步一拳打跑了机器长颈鹿，没有给马克试试新装备的机会。

"好好看路！"萨莉大喊。

我们继续飞驰，朝着高山滑雪场进发。这里的雪山没有游戏世界里的那么宏伟壮观，但是机器人居然能在五月初造出这么多雪来，也着实让人惊叹。马克加速冲上雪道，躲过一只面目狰狞的机器雪怪，让萨莉能够有机会拿到我们需要的装备——便携电池。这种充电方式简直是游戏的一个败笔。

我们一行人朝最后的目的地——阿米什人的小镇进发。凌晨五点的高速公路上几乎没有什么车，马克直接把油门推到最大。

气垫船飞速穿梭在车辆之间。突然，后面响起了警笛声。我吓得全身瘫软。大事不妙。要是让警察发现一个十岁的孩子，连拿驾照的年龄都没到，就在路上以每小时二百公里的速度行驶，后果会怎样？

"开快点儿。"萨莉说，"他们追不上来。"

"这可是法治社会！"我脱口而出。尽管我接受不了萨莉的反应，但是被警察追更让人抓狂。"咱们至少要把情况和警察说明一下，不是吗？说不定他们能帮咱们！也许……"

警车追了上来，我说到一半的话咽了回去。仔细一想，这事绝对有点儿蹊跷。我们的气垫船的速度这么快，除非对方的车也有火箭助力，不然怎么能跟得上呢？什

　　么时候高速交警开始配备喷气式汽车了？很快，我的疑问就有了答案。警车的后排窗户摇了下来，一个人探出头来。黎明时分，天还灰蒙蒙的，但是红色和蓝色的警灯让那个人的衣服格外显眼，他穿的不是警察制服。

　　他穿的是一身西装。

18
戈利亚特龙

那个穿着西装的人把身子探出窗外，拿着一个类似来复枪的武器。

砰！

看来他是真拿着一把枪。

"快拐弯！"萨莉大喊。

马克猛打方向盘，一个急转弯，气垫船拐到了旁边的玉米地里。

咔嚓咔嚓！咔嚓咔嚓！

气垫船在满是玉米秆的田地里，硬生生地开出了一条路。我们全都低着头，用手捂着脸，避免被玉米叶子割伤。在没人驾驶的情况下，气垫船行驶了一会儿。突然之间，玉米秆倒地的声音停止了。我们抬起头，发现自己来到了一片旷野中。

"小心奶牛！"萨莉大喊。

马克赶紧向右转动方向盘躲了过去。

"有羊！"

马克又向左猛打方向盘。

"压！"

"在哪儿呢？"马克大声说，"我没看见什么鸭……"

千钧一发之际，萨莉压低了马克的脑袋，我们才从脱粒机的刀锋下钻了过去。

马克刚坐好，就发现气垫船马上就要撞上围栏了。"啊！"他用尽所有的力气猛打方向盘，可惜已经太迟了。我们以每小时二百公里的速度，朝着围栏撞了过去。咔嚓！围栏的柱子都被撞断了，围栏缠到了我们身上，气垫船就这样在旷野里乱窜。我使劲闭着双眼，双手紧紧抓着安全带，紧张到了极点。终于，气垫船停了下来。

确定没有动静了，我才慢慢睁开眼睛，只见马克坐在前面，双手抱头。

"你没事吧？"我问。

"我没事。"马克回答，"但是，现在咱们怎么去救埃里克呢？"

"你抬头看看。"

只见在冉冉升起的红日之下，旷野那边是一艘大约五十米高的火箭。旁边的塔梯直通火箭顶部，几十个机器人在塔梯上忙活着。而火箭旁边有一个机器人几乎和火箭一样高，它就是这个游戏的终极怪物——戈利亚特龙。

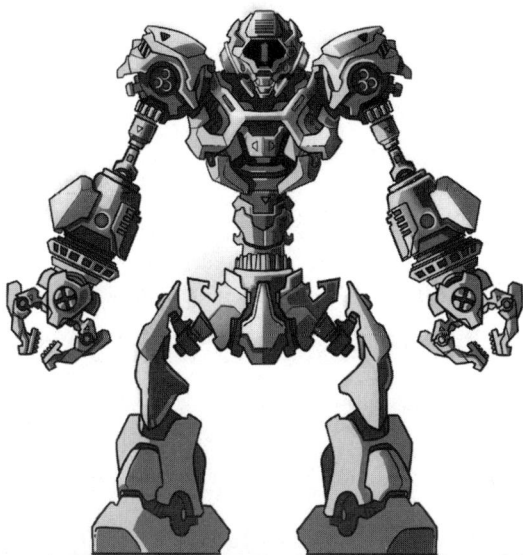

我倒吸了一口凉气。

过去的二十四个小时里，我见到了形形色色的游戏怪物。但是，没有哪个能和这个终极怪物一样令人不寒而栗。多亏了机器男孩比利的视频，我提前已经有了心理准备。可是，当这家伙真的出现在我面前的时候——我的天哪！我还盯着它愣神的工夫，萨莉就已经跳下气垫船，朝着左边跑去。

"你没看见这家伙吗？"马克冲萨莉喊着。

"谷仓应该就在这附近。"萨莉边说边跑，都顾不上回头。

马克听了也开始跑。没跑出去两步，他突然想到我还待在原地呢，又折回来。"杰西。"马克看着我的眼睛严肃地说，"你还记得咱们的计划吧？千万别忘了——你的任务是转移戈利亚特龙的注意力、拖延时间。"

说完，他转身去追萨莉，边跑边问："你找到埃里克了吗？"

"转移戈利亚特龙的注意力、拖延时间"，在马克家地下室分配任务的时候，我感觉很轻松。现在我面对着足足十二层楼高的机器人，并且它的目标还是把我压扁，换谁都得消化一会儿。这时，戈利亚特龙已经注意到了马克，朝他走了过去。

眼看情况不妙，我赶紧行动起来。"嘿！"我大声冲它喊道。终极怪物扭过头来看着我。"你过来啊！"我努力让自己的声音更有底气一点儿，"敢不敢打一架？"

敢不敢打一架？我实在是想不出别的什么方法来激怒它了。

戈利亚特龙像个即将上场的拳击手一样摩拳擦掌，朝着我笨拙地走了过来。我怕极了，四处找着罗杰，它去哪儿了？这个时候它应该和我一起转移戈利亚特龙的注意力啊！咣当！有东西从后面撞上了戈利亚特龙的脑袋。戈利亚特龙停下来摇了摇头，接着要追我。咣当！咣当！是罗杰！这个小家伙勇敢地挑战着比自己大一百多倍的机器人怪物，一遍一遍去撞击戈利亚特龙的后脑勺。戈利亚特龙终于受不了了，转过身去想要看看怎么回事，我趁机扔出了回旋镖。

当啷！

回旋镖击中了它的胸部。当然了，这对它造不成任何伤害，但是足以让戈利亚特龙把攻击目标转向我。

咣当！

罗杰又开始了它的挑衅。

当啷！

随后是我。与此同时，我满脸焦虑地看向谷仓——深知这种方式拖延不了多久。

"你们怎么样了？"我大喊着。

"找到了！"马克拿到了一个金属盒子。他和萨莉的任务顺利完成了。

咣当！

马克一边往火箭方向跑，一边小心翼翼地把金属盒子塞到包里，生怕碰到上面的按键。"干得不错！坚持住！"

当啷！

"我也差不多了！"萨莉大喊。

咣当！

"加油啊！"萨莉说。

咣！

这不是我发起的攻击，也不是罗杰发起的，而是戈利亚特龙，只见它挥舞拳头击中了罗杰。罗杰被打得在空中晃了好几圈，一头栽了下去。

"不要啊！罗杰！"我大喊着。

砰！

罗杰重重地摔到地上，碎成了两半。它又挣扎着飞起来好几次，零件掉了一地。

我震惊地看着自己的小伙伴，难受极了。这时候，戈利亚特龙双眼冒着红光，又转向了我。我连退好几步，它却步步紧逼。它每迈一步，大地都跟着晃动，看样子不抓到我它是不会善罢甘休的。

"萨莉？"我头也不敢回地大喊着，"差不多了吗？"

没有任何人回应我，眼看戈利亚特龙就要过来了。

我再次扔出回旋镖，它却完全不在意。随着戈利亚特龙越来越近，大地也跟着摇晃得厉害，我一动也不敢动。"萨莉？"

"嘿！坏家伙！"萨莉终于说话了。

我和戈利亚特龙都看向了萨莉。萨莉拿着从马克家带出来的笔记本电脑，以及刚才在滑雪场闯关时收集的便携电池。"快看这是什么！"萨莉说着敲了一下键盘，屏幕上出现了机器男孩比利的视频，正是莱维斯山这一关。看着这一切，戈利亚特龙歪着脑袋，一头雾水。萨莉点开"播放"键，戈利亚特龙看到自己在屏幕上闯关。我紧张地等待着它的反应。要是这一招不奏效，我们就完了，这是我们唯一的计划。

戈利亚特龙怔怔地看了一会儿，似乎没有任何异常。我的心提到了嗓子眼里，快点儿啊，快发作啊！就在这时，我发现它的金属大拳头开始颤抖。太棒了！我能感觉到戈利亚特龙努力想要转过来，继续追我。可是，不知道为什么，视频似乎破坏了它的操控系统，使它动弹不得。

"把音量调大！"我大喊。

萨莉调大了声音，视频里的戈利亚特龙正在咆哮。我眼前的这个呢，听到游戏里自己的声音，也和罗杰之前一样，发出奇怪的噪声，就像机器坏掉了一样。"再大点儿声音！"

萨莉把音量调到最大。戈利亚特龙往后退了几步，全身很明显地在颤抖，只见它的腿摇晃着，脸也开始抽搐。大概这些机器人在视频中看到自己，脑袋中的芯片都会出现故障。

轰！

戈利亚特龙爆炸了。我赶紧抱住脑袋，缩成一团。伴随着那一声巨响，成千上万的高温金属片迸了一地。等到爆炸结束，我才敢站起身。看到戈利亚特龙没了，所有机器人都开始往火箭那边跑。看来，火箭马上就要发射了。

我赶紧看向塔梯，马克已经爬了一半了。他带着钢铁侠的手套，更加勇猛，一路上又是射击又是挥拳，愣是在一群机器人中杀出来一条路。我又顺着塔梯看向火箭顶端，那儿的门大开着。我突然有些担心，一直以来，大家都觉得埃里克肯定是在火箭上，所以一路杀了过来。但是，万一呢？万一他……

就在这时，一个脑袋从火箭顶端的门中探了一下，很快又回去了。"埃里克！"我大声喊道。

那个脑袋又伸了出来，"杰西？"埃里克喊着，又被拽了进去。他努力靠到门上，冲着我嚷道："你看到那边的终极怪物了吧？是不是超级大……"话没说完，里面的机器人又按着他的脑袋把他拉了进去。可是，没过几秒，埃里克又出来了："还有海盗船上那些机器人，你都看到了吧？那些都是机器人！"

"埃里克，别担心，我们这就来……"

埃里克又进去了。我等他出来，又接着说："马克马上就……"

埃里克打断了我："马克也在这儿吗？你们快来看看这艘火箭！简直太棒了！"

"火箭马上要发射到月球上去了！"我大喊。

埃里克好不容易摆脱了一个机器人，惊呼道："你说什么？"

"火箭马上要发射到月球上去了！"

看来埃里克刚知道这件事，这下他慌了起来："不行啊，我不能去月球上啊！"

"马克马上就过去了！"

现在，马克还差一小段楼梯就到门口了。他把刚才的金属盒子拿了出来，准备按下按键。最后这件装备是个带武器的热气球，玩家可以乘着它飞到戈利亚特龙脑袋的位置，然后攻击它最脆弱的地方——额头。不过，我们的计划是马克接到埃里克后，再启动热气球。这样，我们就能趁着火箭发射之前离开那里，然后安全着陆。

当然了，我们的计划也有漏洞，比如说，谁也不会驾驶热气球。可是，凌晨三点我们能想到这个主意，已经很不容易了。

"埃里克！"

马克就差几级台阶了，他开始大喊："你等我按下按键……"

轰！

塔梯有个地方被炸开了，然后摇晃起来。马克一个没拿稳，手中的金属盒子掉到了旁边。我听到右边咔嗒一声，一转头，只见刚才追我们的警车已经停了下来，一个穿着西装的男人站在车后。他正在用火箭筒瞄准马克，准备再来一炮。

轰！

这一炮差不多又击在了刚才的位置，整个塔梯开始吱扭吱扭地呻吟，斜向一边。伴随着一连串的巨响，塔梯翻了。马克也跟着栽了下去。

19
火箭

　　我还没有反应过来，腿已经开始奔跑了。我距离火箭大概有二三十米的样子——似乎除了尖叫已经没什么能做的了，但我还是冲了上去。迈腿的那一刻，我自己也惊呆了，因为我的速度很快，实在是太快了。就像超级英雄一样，我一迈腿就能有一米多远，迈一步能跑出去三米。以这样的速度，我朝着火箭奔去。在电影中，这时候一般都是慢镜头，因为超级英雄的速度实在是太快了，周围的一切看起来就和不动一样。

要是真能那样就好了。

事实上，我速度快了，但我完全反应不过来。尽管我不到两秒钟就跑到了火箭跟前，但是这么短的时间里我根本没想到什么好办法。于是，我跑到这里唯一能做的事，就是用手护住脑袋，好不被倒塌的塔梯或者飞落的金属块砸到。

咣当！

马克拿着的金属盒子现在掉到了我的脚边。我按下按键，它瞬间变成了一个巨大的热气球。我一下跳到热气球的篮子里，与此同时，还要小心躲避着倒塌的塔梯甩出来的金属块。这时候，一切似乎又都慢了下来。金属块一块又一块地打到热气球上。听着嘭嘭的声音，我感觉热气球马上就要瘪了，我也很快就会被压扁。终于，一块超大的金属块撞了过来，一切似乎都静止了。

这种安静的状态持续了几秒，我只听见热气球上方沙沙作响。"马克！"一只胳膊从已经破烂不堪的热气球上耷拉了下来。我赶紧从下面的篮筐里爬了出来，想看个究竟。塔梯已经倒了，压在了热气球上。满地都是被炸飞的机器人的零件。

砰！

有什么东西从热气球上滚了下来，我闻声跑了过去。

"马克！"看到躺在地上的马克，我惊呼道："你还好吧？"

马克翻过身来，整张脸都被刚才的爆炸熏成了黑色。他的钢铁侠手套几乎都化了。"听我说，杰西。他们要……"马克挣扎着想要起来，"他们要……"

就在这时，一只手揪住了我的衣服。

"快跑！"我大喊一声。

但是，马克已经来不及逃跑了，另一个西装男一把抓住了他。马克刚刚经历了大爆炸，又从差不多十二层楼的高度摔下来，但他还是手脚并用，又踹又推，努力想挣脱对方，我还是第一次见他这样。马克成功地把对方的西装拽了下来，还没来得及采取下一步行动，就被对方抓住双手，反扣到了背后。接着，西装男押着马克，朝旷野里走去。抓着我的西装男也是一样，押着我跟在后面。很快，他们和另外两个西装男碰头了，这两个人已经成功抓住了萨莉。

"你带着记忆消除器呢，是吧？道格？"抓着我的西装男冲着抓着萨莉的人问道。

道格摇了摇头。

"不能给他们消除记忆。这个孩子已经丢了一个月了。"他冲马克努了努嘴。

"我的天哪？那咱们该怎么做呢？"

"你是不是还有一发火箭弹？"他问。

抓着我的西装男看了一眼背着的发射筒，说："嗯，还有。但是，不能这样啊，我下不了手。"

"这孩子已经失踪一个月了。"道格说，"你知道的，要是他回到家里，会给咱们带来多大的麻烦。就算抹除记忆也不行。"

"咱们把他抓起来不行吗？"

"这是命令。快把他们绑到一起，赶快解决掉。"

我惊恐地看着眼前的一切。一向不肯服输的萨莉都成了泄气的皮球，让西装男抓着。

"等一等！"马克大喊，"还有一个呢！"

"还有一个什么？还有一个孩子？"道格问，"不好意思，我们都已经控制住了。"

"埃里克。还有一个叫埃里克·康拉德的孩子，他没有进入电子游戏的世界，所以你们没有办法追踪到他。你们还没有抓到他，不信可以去问问格雷戈里先生。"

几个西装男相互使了个眼色，然后道格走到马克跟前，问道："好吧。那你说，这个埃里克现在在哪儿呢？"

"除非你放了他们两个，我才能告诉你。"

道格低头看着马克黢黑的脸，又看了看马克那疙疙瘩瘩的手套，冷笑道："你没资格和我们讲条件。"

"别犹豫了！"马克说，"消除他们的记忆，然后让他们回去吧。你的麻烦只有我一个。"

"是啊，道格。"另一个西装男也帮我们说话，"这样多好。"

道格转身吼道："你觉得这些命令是闹着玩的吗？咱们要是不解决他们，要消失的就是自己了！你现在懂了吧？我说得够清楚了吧？"

突然，周围地动山摇，那个西装男还没来得及回应，就被轰隆隆的声音打断了。只见那艘大火箭下面浓烟滚滚，我感觉整个胸腔都开始跟着颤抖。

"等一等！"我大喊道，"不要啊！快停下来！我们必须阻止火箭升空！"

可是，谁都没有动，轰隆隆的声音越来越大，烟也越来越浓，火箭马上就要载着埃里克离开地球了。

20

三、二、一……

"不要啊！"我冲着升空的火箭大叫，"埃里克，快回来啊！"直到火箭消失在云层里，我才停止歇斯底里地大喊，全身一软，坐到地上开始哭。尽管周围这么多人看着，我还是不能抑制自己的情绪，埃里克是我最好的朋友啊！

"我很抱歉。"道格说，声音也缓和了很多。

我没有抬头，完全沉浸在悲伤的情绪里："你们想怎么样就怎么样吧。"

谁也没有再说话，一个西装男不知从哪里找来一根绳子，要把我们绑起来。捆绑过程十分顺利，我们谁也没有反抗。绑好后，西装男指挥着我们背靠背站到了一起。

"闭上眼。"道格一边说一边给发射筒装上炮弹，"很快一切就结束了。"

我紧闭着眼睛。

"三、二、一。"

轰！

我能感觉到炮弹飞过的热气，全身都跟着微微一震，却一点儿也不觉得疼。难道他打偏了？我睁开了眼睛，只见西装男四处逃窜、寻找掩护。他们的假警车已经被炸没了。

"怎么回事？"道格大喊，"谁在攻击我们？"

话音刚落，伴随着刺耳的警笛声，一辆警车已经驶到了旁边的石子路上。两名警察跳了下来。"放下武器！"其中一个大喊道。

西装男面面相觑，似乎在纠结是缴械投降还是与对方大干一仗。这么会儿工夫，又来了三辆警车。"放开他们！"另一名警察喊着。

西装男都放下武器，乖乖地举起了手。警察跑过来给他们铐上了手铐。"你们没事吧？"一个警察边松绑边问我们。我一句话也说不出来，只是盯着那个快要散架的热气球，一根炮筒从那里伸出，正冒着烟，就像刚刚开过火一样。这是怎么回事？就在这时，一个脑袋伸了出来。天哪……简直令人难以置信！

"埃里克？"

"刚才！真是！太刺激了！"埃里克喊着爬出篮筐，朝这边跑来。

"你们看见了吗？我一下就打中了那辆车！"

"你为什么拖了这么久才开火？"马克问，"他都倒数到'一'了！"

"是你！埃里克！太好了！"我简直不敢相信，自己最好的朋友安然无恙，他不仅没有去月球，还活蹦乱跳地跑到了我们身边。

埃里克也开始和警察一起，给我们松绑。他一边忙活一边和马克解释:"你让我等到最后关头再出手啊。"

"可是他都数到'一'了啊!"马克重复着,"数到零,我们不就完了吗!"

"对啊,所以说这是最后关头啊。"埃里克说。

"有没有人能告诉我这到底是怎么回事?"我问。

马克和埃里克你一句我一嘴,足足说了三遍我才听明白。事情是这样的,埃里克在火箭顶部看到了下面膨胀起来的热气球,他想到这可能是自己最后的机会了,就心一横跳了下来。马克和埃里克都落在了热气球上面,就这么会儿工夫,两个人制订了一个简单的计划。马克滚出来吸引西装男的注意,等到西装男抓到他,再假装想挣脱束缚和对方扭打起来。实际上呢,他正好借这个机会把西装男的手机从口袋里掏出来,再扔给埃里克。埃里克则负责报警,然后偷偷躲到热气球的篮筐里,瞅准时机再救我们。

"好了,我明白了。"我说着,"但是,还有个问题,你为什么拖了这么久才开火?"

埃里克又把刚才的理由说了一遍。这时,我才注意到萨莉正在打电话,她情绪激动、手舞足蹈,甚至不小心碰到了我。

"是的，妈妈，阿米什人的小镇。"萨莉说，"这是美国的一个地方，我也不知道，有点儿像莱维斯山吧。你总知道莱维斯山吧？现在电视上肯定在播这个。你快打开电视看看，我周围都是记者和摄像机。"

萨莉说的没错，似乎整个美国的媒体都来到了阿米什人的小镇，并且从四面八方拥过来的人越来越多。所有记者都在问我们问题，好在警察把摄像机都推到了一边。这时，一辆黑车开了过来，从后座上下来一个男人，他留着我们熟悉的豪猪头型。

"格雷戈里先生！"我大声喊着。

格雷戈里先生也朝我们跑了过来。"简直难以置信！"他脸上洋溢着灿烂的笑容，"你们成功了，真是太棒了！"

"你肯定想不到刚才都发生了什么！"我说，"我们坐了矿车、开了火箭驱动的气垫船，还交到了一个叫罗杰的朋友，它是个和无人机一样的机器人……"说到罗杰，我突然一阵心痛，说不下去了。

格雷戈里先生趁这个工夫，赶紧凑了过来。"孩子们，有件事非常重要。"他压低声音问道，"你们有没有和别人讲过董事会的事？"

我们面面相觑。"董事会？什么啊？"马克问。

"对，董事会，就是那些穿西装的人。"

我们更疑惑了。

"没有吧。"我说着。

"太好了。"格雷戈里先生严肃地说，"千万别跟任何人讲，一定要听我的。"

我们还没来得及搞明白怎么回事，一辆红色的小货车飞速开了过来，一个急刹车停到了救护车旁。正是我们在马克家车库里看到的那辆车。

说起来也许很难想象，尽管马克看上去和我们一样，有着一张稚嫩的脸庞，他实际上已经在电子游戏里差不多度过了一辈子。在另一个世界，马克早就把童年、少年、成年、老年都经历了个遍。在整个闯关过程中，他最盼望的就是这一刻。

汽车还没熄火，马克的妈妈就跳了出来。"马克！"她大声呼唤着马克的名字，眼泪早就涌出来。

马克坐在救护车后面，双脚耷拉下来。他什么也没说，只是傻傻地笑着享受着当下的一切。他终于回家了。

21
马克日

接下来的两周里，我几乎一直和埃里克黏在一起，一遍又一遍地和警察、记者、朋友讲着这段时间的经历。当然了，我们两个私下里也总是讨论。经常是两个人在卧室里坐着，埃里克就突然开始得意地笑，问我一些有关我们冒险的问题，比如"还记得我把你从瀑布顶端推下去吗？"

我总会反驳，讲点儿他的糗事："不记得了，但是我记得你被毛球攻击的时候，哭得像个女孩子一样。"

"它们的牙齿和刀片一样！"

"不知道，反正我是觉得它们挺可爱的。"

但是，有些事我们一直没有提起，和任何人都没有说过——就是"董事会"的事。我们和格雷戈里先生相继去法庭上作证，超级生物软件公司也关门大吉了。杰弗瑞·德尔菲诺和所有参与过他那个邪恶计划、试图把孩子们困在电子游戏里的人都进了监狱，一时半会儿是出不来了。但是，没人知道应该拿那几个穿西装的人怎么办。他们什么都不说，我们也什么都不说。虽然那四个人还在监狱里，但是他们三缄其口，身份证也是假的，警察什么线索也查不到，更不知道幕后主使到底是谁。

接下来的日子里，我们接受采访、参加宴会，生活过得十分惬意。最令我印象深刻的，还是学校里举办的马克日。马克失踪的时候，学校举办悼念日来纪念他，现在他回来了，学校要庆祝马克回家。礼堂里到处都是气球，还有吃不完的比萨。我和埃里克都要发言，甚至萨莉也现场连线发来了祝福视频。

她还模仿了一下美国口音，深受大家欢迎。我演讲结束后，一瘸一拐走到了座位上。（还有一周就可以拆石膏了！简直太开心啦！）

轮到马克上场了。说实话，我们都很担心马克突然回到现实世界会不适应，但是他感觉好极了。医生成功地帮助马克把机器手套拆了下来，还治好了他胳膊上的伤。老师们也都帮他补课。这样一来，马克就能和我们一起升入五年级了。俄亥俄州甚至要给马克颁发一个特别驾驶奖，以表彰他一流的气垫船驾驶技术。

马克站到演讲台上冲所有人挥了挥手，说了几句感谢学校之类的话，然后就回到了座位上，脸涨得通红。

接下来，奥尔特加校长发表讲话，宣布活动到此结束。"散场之前，我们还有一个惊喜要送给几位小英雄。"她笑着伸手示意，只见格雷戈里先生走到了台上，手里还拿着一个大盒子。

格雷戈里先生向所有学生挥了挥手，然后转向我们。"真不知道要怎么感谢你们，在你们身上我学到了勇敢和忠诚。"他说着，"过去的两周里我都在准备这份礼物，想要表达我的谢意。能不能再和萨莉连线？"

萨莉的脸再次出现在格雷戈里先生身后的大屏幕上。"这是什么啊？"萨莉好奇地问。

"相信你今天已经收到了一个包裹。"格雷戈里先生说，"希望你能和我们一起打开这份礼物，可以吗？"

"当然了……"

"三、二、一！"

嘭嘭！嘭嘭！

罗杰从盒子里飞了出来，在空中翻了几圈。与此同时，萨莉的盒子里也飞出了一只一模一样的罗杰。

"我的天哪！"萨莉惊呼。

"大家来认识一下罗杰一号！它身上 82% 的零件都是原版。"格雷戈里先生指向台上的罗杰。然后，他又转向萨莉："还有罗杰二号，它完美复刻了你们的朋友。"

"啊啊啊啊啊啊啊！"萨莉还没缓过神来。

我激动地从椅子上跳了起来。"这是真的吗?!"罗杰飞过来跟我击了个掌。

"我宣布，今天的活动完美结束！"奥尔特加校长说，"祝大家暑假愉快，再见！"

埃里克、马克和我围住了格雷戈里先生，一遍又一遍地向他说着谢谢。罗杰则一直围着我们飞，高兴地哼着小曲。与此同时，我却发现格雷戈里先生的儿子查理站在一边。当我看向他的时候，他给我使了个眼色，示意我过去。于是我离开了他们几个，走到查理身边。"怎么了？"我问道。

查理慌张地看了看周围，什么都没说，带着我走进了浴室。到了里面，查理又把每个角落都检查了一遍，然后打开了水龙头。

"你这是在干什么？"我问。

查理示意我别出声，又打开了两个水龙头，然后才凑过来，小声说道："我怕这里有窃听设备，电视上都是这样演的。"

"窃听设备？谁会来窃听咱们？"

查理没有理会我的话："你有没有感觉，我爸爸有点儿奇怪？"

"奇怪？怎么个奇怪法？从上次黑匣子爆炸之后我还没怎么见过他。"

"我也说不上来，就是很奇怪，让人感觉很不正常。"

我被查理说蒙了。"查理，说实话，我不太了解格雷戈里先生。他确实帮我们救出了马克，但是话说回来，他本来也有点儿奇怪。"我说着自己都笑了。

"但是——但是从黑匣子爆炸后，他变得不太一样了。以前我爸爸总是叫错我的名字。我知道，这听上去很奇怪。因为我们几个兄弟姐妹的名字都是'查'字开头，所以我爸爸每次都要把所有人的名字都说一遍才能分清楚：查恩、查蒂、查思嘉、查理。每次都这样，有的时候他甚至还会加上我们家狗的名字。奇怪的是，自从黑匣子爆炸之后，他总是一下就能喊出我的名字，一次都没有搞错过。"

说到这儿，查理沉思了一会儿。我向四周看了看："你是说，你爸爸能准确叫出你的名字让你感到困惑？"

查理叹了口气："我知道这听上去像冒傻气。"

"查理，你爸爸在外面躲了整整两周，"我说，"现在终于回来了，你不应该高兴吗？"

"我不确定回来的是不是我爸爸。"查理突然说。

"查理……"

"真的，我不确定这个人还是不是我爸爸。他现在总是做一些奇怪的事情，并且每天晚上都在同一时间上床睡觉。真的是同一时间——22点47分32秒，从来都是。哪怕我故意拖延都没有办法让他做出改变！我用不同的手表都记过时，一次都没错过。"

"查理……"

"而且，他总是在问一些关于你的问题，一直都在问，比如你最近怎么样啊，他似乎对你说过什么话特别感兴趣。每次我想和他聊点儿什么，他都看向远处，就好像根本没有在听。但与此同时，他又能一字不差地把我的话重复一遍。"

"查理……"

查理警惕地看了看周围，掏出来一个像飞盘一样的圆盘，还带着线和插头："还有更重要的。这是我在爸爸的床底下发现的，你知道这是什么吗？"

我叹了口气，耸了耸肩："什么啊？"

"这是个充电宝，就像咱们给手机充电的一样。"

"好吧……"

"但是，没有手机会用这么大的充电宝。所以，我上网查了查这个充电宝的生产商，是一家新注册的公司，总部在墨西哥，并且这家公司是生产仿真机器人的。"

"仿真机器人？"

"就是和真人几乎一样的机器人。"

"你到底想表达什么啊？"我问。

查理的声音已经很小了，但是接下来的两句话，他几乎是用唇语说的："我觉得这个人不是我爸爸，他好像是个机器人。"

探索无限

当你开始学习编程时，你意识到的第一件事就是电脑虽然不聪明，但记忆力特别好。打个比方，电脑无论如何也不会自己做出花生酱果酱三明治，但是它一旦被教会了，就永远都忘不了。

基于电脑的这个特点，程序员会利用函数来说明一个任务如何执行，并在之后中的代码中就可以通过它来使电脑重复完成相同的任务。

第一次教电脑做花生酱果酱三明治时，需要事无巨细地教给它每一个操作步骤：准备两片面包，在其中一片的一面上抹上花生酱，在另一片的一面上抹上果酱，然后把两片面包有酱的一面相对，叠放在一起。花生酱果酱三明治很好吃，只做一次可不行。如果你想让电脑帮你多做几次，又不想每次都教它一遍操作步骤，就可以用函数让电脑来执行重复任务。

你可以把上面一系列的操作步骤作为一个函数，并把它叫作花生酱果酱三明治。这样，以后每次你输入"花生酱果酱三明治"时，电脑都会自动执行所有步骤，为你准备好吃的三明治。

花生酱果酱三明治
函数

花生酱果酱
三明治

我们可以通过函数，让电脑完成不同的任务。如果给刚才的函数改个名字叫三明治，将制作步骤里的花生酱、果酱换成其他配料，比如芝士、火腿，那么电脑就会做出芝士火腿三明治；如果换成橄榄、芥末酱，做出来的便是橄榄芥末酱三明治。

在两片面包中间放上不同的配料，就能做出不同的三明治。在编程中，这些不同的配料叫作参数。

参数 ➡ 三明治函数 ➡ 鳗鱼三明治

鳗鱼

在这本书的故事中，也有函数。你还记得吗？杰西在废弃厂房里看到了机器人流水线——只要用不同的零件，就能组装出不同类型的机器人。

参数 ➡ 函数 ➡ 机器人

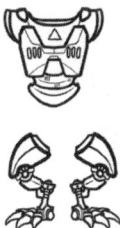

我们来用函数和参数制造不同的机器人吧！第 170 ~ 173 页中有不同的机器人零件，请你根据最后两页的参数，把不同的零件组装到一起。

头部

太空机器人

生化电子人

机械鲨

躯干

勘探服

战甲

极速铠甲

手臂

机械爪

弗兰基机械臂

武士臂

下肢

超未来下肢

侏罗纪钢爪腿

蜘蛛切刀腿

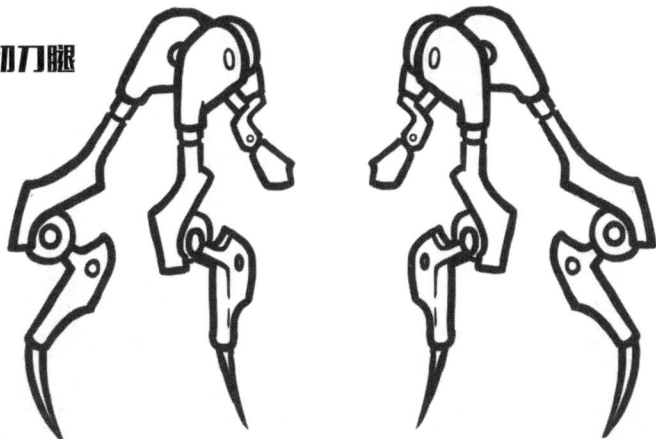

机器人制造工厂

我们来玩个游戏吧！你需要用前几页的零件来组装一个完整的机器人。

参数 ⟶ **机器人函数**

机械鲨

勘探服

武士臂

超未来下肢

机器人 ⟵

白鲨武士

参数 → 机器人函数 → 机器人

生化电子人
极速铠甲
弗兰基机械臂
蜘蛛切刀腿

?

机械狼蛛

参数 → 机器人函数 → 机器人

太空机器人
战甲
机械爪
侏罗纪钢爪腿

?

迅猛龙机器人

参数 → 机器人函数 → 机器人

机械鲨
勘探服
弗兰基机械臂
蜘蛛切刀腿

?

深海金属兽